Elspeth Broady ● Ulrike Meinhof

Télé-Textes

Cahier d'activités

Oxford University Press 1995

Th

▶ Table des matières

Oxford University Press, Great Clarendon Street,
Oxford, OX2 6DP

Oxford New York
Athens Auckland Bangkok Bogotá Buenos Aires
Calcutta Cape Town Chennai Dar es Salaam Delhi
Florence Hong Kong Istanbul Karachi Kuala Lumpur
Madrid Melbourne Mexico City Mumbai Nairobi Paris
São Paulo Singapore Taipei Tokyo Toronto Warsaw

and associated companies in
Berlin Ibadan

Oxford is a trade mark of Oxford University Press

First published 1995
Reprinted 1997, 1999

ISBN 0 19 912200 8

Printed in Great Britain

Acknowledgements

The authors would like to thank Robert Boucher of Les Amis
de la Terre; Ian Spalding of Media Services, University of
Brighton; Catrine Carpenter and Dominique Le Duc of the
Language Centre, University of Brighton.

The authors and publisher would also like to thank all staff
and pupils who have reviewed and trialled the materials,
with special thanks to Maurice Larose (Launceston College),
Tony Lonsdale (Cardinal Newman College), Mrs C Mackenzie
(Currie High School), Richard Marsden (The Minster School),
Owen Rowlands (The Academy, Galashiels), Rod Slater (George
Watson College), Clive Thorpe (Framlingham College).

The publishers would like to thank the following for permission
to reproduce photographs and other copyright material: Farid
Aichoune p.32; Les Amis de la Terre p.49 (right); *Les Clés
de l'Actualité* pp.22, 29, 39; © 1994 Les Éditions Albert
René/Goscinny–Uderzo p.59; *Festival International Montpellier
Danse 94* p.34; *Francoscopie 1993* – Gerard Mermet – ©
Larousse 1992 pp.4, 67 (top); Le Futuroscope de Poitiers p.28
(left); Gamma p.64 (photo); Marc Ginot p.31; *Libération* pp.14
(text); *L'Officiel des Spectacles* p.27; Ollandini Voyages pp.23
(bottom photo), 24; *Parcours* p.19; *Le Parisien* pp.11 (text), 12
(photos 1 & 2), 15 (text), 16 (photo 2), 37 (text), 42 (text), 52,
57, 60 (texts), 67 (bottom); *Le Pélerin* p.49 (left); *Le Point*
pp.44, 45 (text), 64 (top text); REA p.45 (photo); Rex/Sipa p.23
(top photo); Serguei p.51; SNCF pp.18, 20; *L'Union* p.16
(photo 1).

We should also like to thank *TF1 Entreprises* for all assistance
with the Video, and for permission to use the newsbroadcast
items, the video stills, and the cover photograph.

The illustrations and maps on pp.8, 11, 14, 16, 28, 35, 37, 40, 49
are by Jeff Edwards.

Every effort has been made to contact copyright holders
of material reproduced in this book. Any omissions will be
rectified in subsequent printings if notice is given to the
publisher.

Avis au lecteur/Note to the reader

● What is *Télé-Textes*?

Télé-Textes is a video and print resource for advanced students of French, designed for classroom use and self-study. Through television news items and corresponding newspaper articles, you will explore topical issues and work on all four skills, extending your active command of current-affairs vocabulary. *Télé-Textes* also aims to promote your confidence in using authentic television by highlighting a variety of viewing strategies.

● The Video

The Video is a compilation of eighteen television news items, taken from the evening news broadcast of TF1, France's principal television channel. We have selected the items because of their intrinsic interest, but also because they reflect types of stories that recur regularly in television news. The items are organized into seven *Dossiers,* according to their type.

Each news item is introduced by our French presenter, Sophie Guillaumin, who briefly explains the context and introduces some of the key vocabulary, which is then displayed on screen. Each news item is identified on screen by its number and letter.

Like a genuine news broadcast, *Télé-Textes* begins with an opening sequence summarizing the content of the following items, and like the real thing, it starts with dramatic news stories, under the heading *Intempéries,* and ends with lighter items in *Faits divers.* While it is difficult to organize authentic material to ensure linguistic progression, we have attempted to balance lighter types of stories – *Tourisme, Loisirs et culture* – with 'harder' types – *Évolutions sociales, Environnement, Manifestations.*

● The Activity Book

The Activity Book provides a sequence of varied viewing tasks that can be used flexibly depending on your level and background knowledge. This is followed by work on printed texts, usually concerned directly with the same news story. In this way, ideas and vocabulary are recycled. Full transcriptions of the news items and corrections to exercises are given from p.70, in particular to help the self-study learner. The individual units in *Télé-Textes* can be used on their own, or you might like to work through a particular *Dossier.* The various *Dossiers* can be used in any order.

● The *Dossiers*

Each *Dossier* starts with a brief introduction which highlights a useful strategy for viewing that particular type of news story. Exercises using that strategy follow in the exploitation. You can then transfer these strategies to **any** television news item.

● *Reportage télévisé*

You will probably need to view the news item at least three times to build up your detailed understanding. Students and/or teachers can decide at what stage in the sequence of tasks viewing needs to take place. We suggest you try to complete as many tasks as possible before viewing the item again. The pre-viewing exercises prepare you for the initial viewing, when you should watch the Video mainly to understand the gist of the news items (guesswork is useful here). In the follow-up viewings you should build up a clearer understanding of the content and language used. (You may preview some of the vocabulary – see *Vocabulaire à retenir.*) The final exercises help you to consolidate your knowledge and express your reactions to the news story.

● *Textes*

Work on the authentic texts typically involves two stages. The aim in *Lecture rapide* is to get the gist of the article, usually by skim-reading the text to identify key themes. *Lecture approfondie* follows this up with detailed comprehension questions and encourages your understanding of key expressions without having to consult a dictionary.

● *Le point sur la langue*

In at least one unit per *Dossier,* this section identifies a specific point of grammatical or lexical interest illustrated either in the video commentary or in the text. You are encouraged to revise the particular language point and practise it by completing the *Contrôle* exercises which exploit the content of the *Dossier.*

● *Activités orales et écrites*

This section provides a variety of transfer activities which help you to build creatively on the ideas and language from the television and text input. Some are specifically designed for group work, but there are many activities suitable for self-study. Role-plays, debates, and discussions encourage you to develop and express your opinions on an issue, while other activities promote reflection on the use of the various media and suggest that you create your own 'media' products such as newspaper articles, television news items, interviews and advertisements. We hope above all that you will find the activities challenging and fun!

● *Vocabulaire à retenir*

To help you review vocabulary, short lists of useful expressions from the television news item and the texts are given in each unit. We've put them towards the end of a unit because we feel it's easier to retain vocabulary when it's been presented in some kind of context. However, some of you may wish to preview the vocabulary **before** starting work on a particular unit.

INTRODUCTION: LE JOURNAL TÉLÉVISÉ

Combien de chaînes de télévision existe-t-il en France? A quelle heure la majorité des Français regardent-ils le journal télévisé? De quoi parle un journal télévisé? En quoi consiste le travail d'une journaliste de télévision? Voici quelques unes des questions que nous abordons dans cette introduction qui vous permettra de mieux comprendre le contexte du journal télévisé français.

▶ Textes

▢ Les chaînes de télévision françaises
▢ Les programmes de télévision

1 Répondez aux questions suivantes:
   1 Combien y a-t-il de chaînes télévisées françaises?
   2 Combien y a-t-il de chaînes publiques?
   3 Deux chaînes diffusent leur journal du soir à la même heure: lesquelles, et à quelle heure?
   4 Quelles sont les deux principales chaînes françaises?
   5 Quelle chaîne diffuse le plus de films?
   6 Quelle chaîne est considérée comme la chaîne des jeunes?
   7 Certaines chaînes ont choisi de remplacer le journal par des bulletins d'informations très courts. De quelles chaînes s'agit-il? A votre avis, qu'est-ce qui explique ce choix?

2 Voici les parts d'audience des différentes chaînes françaises en 1993. A partir de ce que vous savez maintenant sur les chaînes françaises et leur relative importance, devinez les noms des chaînes qui manquent.

_____	45,0%
France 2	21,6%
France 3	11,6%
_____	10,9%
Canal +	7,5%
_____	2,0%
Autres	1,4%

Source: Mermet, G. *Francoscopie 1993*

▶ Activités

3 **Le contenu d'un journal télévisé**
De quoi parle un journal télévisé? Dans la liste suivante, choisissez les «informations» qui seraient développées dans un journal télévisé national et justifiez votre choix.
   1 Hier il y a eu de la pluie en Normandie.
   2 Hier des pluies torrentielles ont dévasté la Corse, provoquant au moins deux morts.
   3 Ce matin Brigitte Bardot a manifesté devant un laboratoire pour protester contre l'expérimentation animale.
   4 Ce matin Brigitte Bardot a bu un café.
   5 Il y a trois mois les habitants d'un village dans les Pyrénées ont protesté contre la construction d'une ligne électrique à travers leur vallée.
   6 Aujourd'hui les habitants d'un village dans les Pyrénées ont réussi à arrêter la construction d'une ligne électrique à travers leur vallée.

4 **Imaginez un reportage**
A deux, préparez un reportage sur l'information numéro 3 précédente. Organisez le plan, les images, les interviews et présentez-le à la classe.

Les chaînes de télévision françaises

Sur six chaînes TV, trois sont privées – **TF1**, **Canal +** et **M6**; et trois sont publiques – **France 2**, **France 3** et **Arte**. Chaîne d'État à l'origine, **TF1** a été privatisée en 1986. **TF1** et **France 2** restent les deux grandes chaînes généralistes de la télévision française. **France 3** diffuse souvent des émissions régionales, tandis que **Canal +** diffuse beaucoup de films. Cette chaîne a la particularité d'être une chaîne à abonnement, c'est-à-dire accessible seulement aux téléspectateurs munis d'un décodeur. **M6** créée en 1986, a l'image d'une chaîne jeune, tandis qu'**Arte**, chaîne de co-production avec l'Allemagne, a une vocation plutôt culturelle.

LES PROGRAMMES DE TELEVISION DU MARDI 22 FEVRIER

TF 1
18h 50 Coucou c'est nous!
19h 50 Le Bébête show
20h 00 Journal
20h 35 Jeux Olympiques
20h 50 Air America
Film d'aventures américain, 1990.
22h 50 Boxe
0h 00 Le Bébête show

FRANCE 2
18h 45 Un pour tous
19h 20 Que le meilleur gagne
20h 00 Journal
20h 40 Journal des courses
20h 50 Maman, j'ai raté l'avion
Comédie américaine, 1990.
22h 35 Bas les masques
Magazine. Présenté par Mireille Dumas.
«Boulimie, anorexie: l'une mange, l'autre pas»
23h 50 Journal

FRANCE 3
18h 50 Un livre, un jour
19h 00 19/20: Journal
20h 05 Jeux Olympiques et Sports
20h 50 Questions pour un champion
Divertissement.
Présenté par Julien Lepers.
22h 05 Soir 3: Journal
22h 35 Les brûlures de l'histoire
Magazine. Invité: l'historien
Stéphane Courtois.
23h 30 A la Une sur la 3
Magazine. Animé par Christine Ockrent.
23h 55 Continentales

CANAL +
18h 45 Nulle part ailleurs
20h 30 Le journal du cinéma
20h 35 Medecine Man
Film d'aventures américain, 1991.
22h 15 Flash infos
22h 20 Mensonge
Film dramatique français, 1991.
23h 45 Bienvenue en enfer
Film d'horreur américain, 1991.

ARTE
19h 00 Paul Merton
19h 30 Ljubljana
20h 28 Sarajevo
20h 30 Journal
20h 40 Transit
Débat. «Marx est-il mort?»
Invités: Arlette Laguiller, Dietmar Keller
21h 45 Il faut qu'une porte soit ouverte ou fermée
Pièce d'Alfred de Musset.
22h 20 Poésie à quatre voix
Mise en scène Giorgio Strehler.
23h 15 La véritable histoire d'Artaud le Mômo
Documentaire.

M6
19h 00 Mission impossible
19h 54 6 minutes d'informations
20h 00 Madame est servie
20h 35 Le mardi c'est permis
20h 40 Grandeur nature
20h 50 Karaté Girl
Téléfilm américain.
22h 30 Les Incorruptibles
Téléfilm américain.
0h 00 6 minutes d'informations

▶ **Texte**

📖 Le travail d'une journaliste de télévision

5 Vos réactions

Aimeriez-vous travailler comme journaliste de télévision? Pourquoi? Quels seraient les avantages et les inconvénients du métier?

6 Lecture approfondie

Répondez aux questions suivantes:

1 Qui est Sophie Guillaumin?
2 Quelles études a-t-elle faites?
3 Pourquoi a-t-elle voulu devenir journaliste?
4 Le mot «sujet» (paragr. 2) veut-il dire:
   a un reportage?   **b** une matière?   **c** une photo?

5 Si son rédacteur en chef accepte une idée qu'elle propose, que doit-elle faire ensuite?
6 Sophie identifie deux façons de traiter l'information sur Brigitte Bardot: lesquelles? Laquelle correspond le plus à ce que vous avez proposé plus haut (ex.4)?
7 Quel conseil lui a donné son professeur de télévision?
8 Pour Sophie, qu'est-ce qui fait l'essentiel du reportage télévisé? Êtes-vous d'accord? Pourquoi?

Le travail d'une journaliste de télévision

«Je voulais être chirurgien: j'ai fini journaliste de télé!»

Sophie Guillaumin, la présentatrice de Télé-Textes et journaliste de télévision parle de son travail

Sophie, comment êtes-vous devenue journaliste?

SG: En fait, jusqu'en terminale, je voulais être chirurgien! Mais je me suis aperçue petit à petit en première et en terminale que j'étais beaucoup plus intéressée par les matières littéraires que scientifiques. Il y avait beaucoup de choses qui me passionnaient mais qui n'avaient rien à voir avec la médecine. Et finalement j'avais envie de faire quelque chose qui touche un peu à tout et dans le journalisme on est obligé de travailler dans beaucoup de domaines différents – le sport, l'économie, la vie politique, l'environnement... Donc, au lieu de faire des études de médecine, j'ai fait une maîtrise de sciences politiques et après j'ai fait deux ans dans une école de journalisme.

Vous travaillez actuellement pour la télévision régionale. En quoi consiste votre travail?

SG: Mon travail consiste d'abord à avoir des idées pour des sujets, ensuite à les proposer à mon rédacteur en chef, et s'il les accepte, de les préparer, d'aller par exemple sur le terrain pour interviewer des témoins et ensuite d'écrire et d'enregistrer le commentaire.

Plusieurs façons de traiter l'information

Imaginez qu'on vous propose de faire un reportage à partir de l'information suivante: Brigitte Bardot va assister à une manifestation devant un laboratoire où l'on fait des tests sur animaux. C'est un cas fictif, bien sûr, mais comment est-ce que vous traiteriez cette information pour la télévision?

SG: Il y a plusieurs façons de la traiter. Il y a d'abord ce qu'on appelle du factuel: c'est-à-dire, aller sur place avec une caméra pour filmer Brigitte Bardot et les manifestants avec leurs banderoles «A Bas les Tueurs d'Animaux» et raconter tout simplement ce qui se passe. Éventuellement on essayerait d'avoir la réaction du directeur du laboratoire. Mais on peut aussi se servir de cette manifestation comme prétexte pour faire une enquête sur le travail du laboratoire en question et puis sur l'expérimentation animale au niveau national. On ferait peut-être une comparaison avec çe qui se passe dans d'autres pays européens, on citerait des chiffres concernant le nombre d'animaux utilisés par exemple, ou le nombre de laboratoires...

Laisser parler les images...

Quelle est la différence entre la façon dont on fait un article de presse et un reportage télévisé?

SG: C'est tout simple. La presse écrite communique par des mots uniquement. Un reportage télé comporte une autre information, c'est-à-dire les images. Communiquer par des mots et des images n'est d'ailleurs pas toujours facile. Notre professeur de télé à l'école de journalisme nous disait toujours: laissez parler les images... ne les couvrez pas d'un flot de paroles. Les images, c'est ce qui fait l'essentiel d'un reportage télévisé.

Propos recueillis par EB.

7 L'organisation d'un journal télévisé

Tout comme les articles dans un journal écrit, les reportages d'un journal télévisé sont classés selon des catégories ou «rubriques» telles que Politique, Environnement ou Faits divers. Les dix-huit reportages de *Télé-Textes* sont organisés selon sept rubriques qui reviennent souvent dans l'actualité française:

ÉVOLUTIONS SOCIALES

MANIFESTATIONS

LOISIRS ET CULTURE

TOURISME

ENVIRONNEMENT

FAITS DIVERS

INTEMPÉRIES

Essayez de classer ces dix-huit reportages dans une des rubriques précédentes:
1 Inondations en Corse
2 Chutes de neige inattendues
3 La nouvelle campagne des stations de ski
4 La Corse désertée par les vacanciers
5 Le karaoké
6 Le Solido: un cinéma 3D au Futuroscope
7 Le rap au Festival de la Danse de Montpellier
8 Le rapport *Données Sociales 1993*
9 La transformation de l'agriculture française
10 La dernière mine de fer
11 Une nouvelle formation pour les femmes
12 Victoire contre les pylônes!
13 Le stockage des déchets radioactifs
14 Manifestation à l'aéroport de Roissy
15 Manifestation des cyclistes parisiens
16 La gastronomie aux fleurs
17 L'histoire d'un poisson rouge
18 La méthode du saladier

▶ Reportage télévisé: introduction

8 L'ouverture d'un journal télévisé

Dans l'ouverture d'un journal télévisé, le présentateur annonce les titres du journal. Dans l'ouverture de *Télé-Textes,* notre présentatrice présente un résumé des reportages. Regardez une ou deux fois cette séquence-vidéo pour vérifier vos réponses aux questions précédentes. Attention: il y a deux reportages auxquels Sophie ne fait pas allusion. De quels reportages s'agit-il?

9 Connaissance de la France et des Français par le journal télévisé

Pour fabriquer un reportage télévisé, il faut des images sur lesquelles le journaliste enregistre son commentaire. Pour rendre plus concrets les reportages, il faut aussi des interviews avec ceux qui sont impliqués dans l'actualité. Les images vous permettront de découvrir différentes régions de France; les interviews vous feront rencontrer des Français très différents. Pour vous aider à situer géographiquement chaque reportage, vous trouverez à la page 8 une carte indiquant les différents endroits dont on parle dans les reportages de *Télé-Textes.*

Acronymes employés dans *Télé-Textes*:

BEP
Brevet d'Études Professionnelles

BEPC
Brevet d'Études du Premier Cycle

CAP
Certificat d'Aptitude Professionnelle

CGT
Confédération Générale du Travail (syndicat)

EDF
Électricité de France (entreprise publique qui produit et distribue l'électricité)

HLM
Habitation à Loyer Modéré

IUT
Institut Universitaire Technologique

ORSEC
ORganisation des SECours

PAC
Politique Agricole Commune de la Communauté Européenne

PALOMAR
PAris – LyOn – MARseille (plan activé pour faire face aux problèmes de circulation sur les autoroutes)

RATP
Régie Autonome des Transports Parisiens

RMI
Revenu Minimum d'Insertion

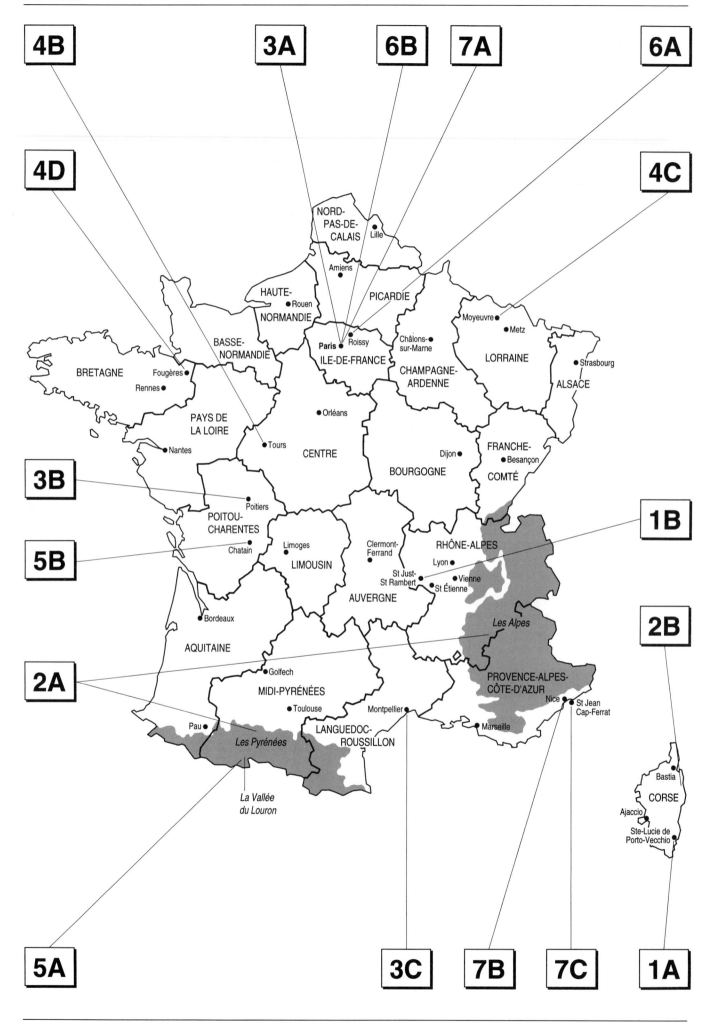

4B

3A

6B

7A

6A

4D

4C

NORD-
PAS-DE-
CALAIS

• Lille

• Amiens

HAUTE-
NORMANDIE

• Rouen

PICARDIE

Moyeuvre
•

• Metz

BRETAGNE

Fougères •

Rennes •

BASSE-
NORMANDIE

Paris •

• Roissy

ILE-DE-FRANCE

Châlons- •
sur-Marne

CHAMPAGNE-
ARDENNE

LORRAINE

• Strasbourg

ALSACE

PAYS DE
LA LOIRE

• Orléans

Nantes •

• Tours

CENTRE

Dijon •

BOURGOGNE

FRANCHE-
COMTÉ

• Besançon

3B

1B

Poitiers •

POITOU-
CHARENTES

5B

Chatain •

Limoges •

LIMOUSIN

Clermont- •
Ferrand

RHÔNE-ALPES

Lyon •

St Just- •
St Rambert

• Vienne

• St Étienne

AUVERGNE

2B

Bordeaux •

AQUITAINE

Les Alpes

2A

Golfech •

MIDI-PYRÉNÉES

• Toulouse

Montpellier •

PROVENCE-ALPES-
CÔTE-D'AZUR

Nice • • St Jean
Cap-Ferrat

Pau •

Les Pyrénées

LANGUEDOC-
ROUSSILLON

• Marseille

Bastia •

CORSE

Ajaccio •

Ste-Lucie de •
Porto-Vecchio

*La Vallée
du Louron*

5A

3C

7B

7C

1A

La météo joue un rôle important dans notre vie quotidienne et quand le temps est très mauvais, on en parle à la une du journal télévisé. Dans ce dossier, vous allez découvrir deux reportages consacrés aux conséquences des intempéries dans différentes régions de France.

La stratégie du dossier: interpréter les images!

Dans ce genre de reportage, ce sont surtout les images qui vous aideront à comprendre ce qui se passe. C'est pourquoi nous vous proposons dans ce dossier de regarder les reportages télévisés d'abord *sans* le son.

▶ Reportage télévisé 1A

📺 Inondations en Corse

1 Préparez-vous!

1 Quels genres de dégâts sont occasionnés par des inondations? Sophie, dans son introduction au reportage, parlera de: villages isolés, maisons dévastées, routes détruites.
   Pouvez-vous ajouter d'autres possibilités à cette liste?

2 Le village de Ste Lucie de Porto-Vecchio figure dans ce reportage. Consultez une carte de la Corse.

2 Les images

Étudiez la liste suivante. Ensuite, regardez le reportage *sans* le son et identifiez la seule image qui *ne figure pas* dans le reportage:

1 un torrent de boue
2 une voiture submergée
3 un arbre emporté par le torrent
4 un village inondé
5 un pont détruit
6 des sinistrés qui se consolent
7 une jeune fille à côté d'une rivière
8 des hélicoptères qui ravitaillent un village
9 une femme qui sort des photos de sa maison
10 une famille, la mère en larmes
11 le maire de Ste Lucie

3 Pour comprendre l'essentiel

Regardez maintenant le reportage *avec* le son. Résumez son contenu essentiel en répondant aux questions suivantes:

1 **Quel** est le bilan de cette catastrophe?
   _____ morts _____ disparus
2 **Quelles** régions ont été touchées?
   a la Corse-du-Sud?
   b la Haute-Corse?
   c les deux départements de la Corse?
3 **Quels** dégâts ont été occasionnés?

4 Expressions-clé

Pour mieux comprendre le détail du reportage, vérifiez le sens des expressions de gauche en identifiant leur équivalent dans la colonne de droite.

1 défiguré
2 les mines se figent
3 rajouter des paroles
4 dérisoire

5 rasée (par le torrent)
6 récupérer
7 (les yeux) rivés

a complètement détruite
b parler
c retrouver (ses affaires)
d les visages perdent toute expression
e transformé par les dégâts
f fixés
g absurde

5 Vrai ou faux?

Lisez ces cinq affirmations. Regardez le reportage *avec* le son et corrigez celles qui sont fausses. (Il y en a trois.)

1 Un plan Orsec est en place pour toute la Corse.
2 Le village de Ste Lucie de Porto-Vecchio a été isolé pendant 24h.
3 Les sinistrés veulent parler de leurs expériences.
4 Ils tentent maintenant de récupérer leurs possessions.
5 Le maire de Ste Lucie explique les mesures qu'il va prendre.

6 Commentaires et images

Lisez ces extraits du commentaire du journaliste. Décrivez les images qui correspondent à chaque extrait.

Par exemple:
Les mille cinq cents habitants de Ste Lucie ont découvert ce matin sous le soleil ce qu'ils pressentaient depuis la veille: leur village est défiguré.
Images:
Vue aérienne du village; rivière qui coule à travers le village

Commentaires

1 Depuis quelques heures seulement, on ose à nouveau traverser le Cavo, cette paisible rivière métamorphosée en quelques minutes en fleuve tumultueux.
2 A l'évocation de la catastrophe, les mines se figent. Rajouter des paroles, c'est bien dérisoire, répètent les sinistrés.
3 Dérisoire en effet quand on voit cette jeune fille errer dans les restes de sa maison, rasée par le torrent.
4 Certains sont venus récupérer ce qui pouvait encore être sauvé.
5 D'autres ont voulu simplement revoir et revivre du même coup les scènes de leur drame comme cette famille bloquée sous les eaux pendant quatre heures.
6 Le maire de Ste Lucie en vacances pendant les événements est arrivé dans l'après-midi: son village et au delà toute la Corse, ont les yeux rivés sur le Continent.

7 Les témoins

1 Choisissez l'adjectif qui décrit le mieux le maire:
réservé
bouleversé
heureux
irrité
dynamique
agressif

2 Que dit-il? Ré-écoutez ce qu'il dit et complétez les blancs.

«Je le dis, _____, véritablement _____! Faites en sorte que l'on reprenne _____, que l'on puisse mener à bien la _____ que nous ont confiée nos _____ et puis pensons à ceux qui ont tout _____, leur maison, leurs papiers, des vies... j'ai un _____ municipal qui a tout perdu, il a _____ ans avec ses trois gosses, une vie entière de labeur partie en _____ heures de temps. C'est _____!»

3 A votre avis, à qui demande-t-il de l'aide?

8 Vos réactions

Les images que nous voyons à la télévision sur des catastrophes naturelles sont souvent dramatiques. Dans ce reportage télévisé, quelles images vous ont le plus frappé? Discutez-en avec un autre étudiant. Voici quelques expressions que vous pouvez utiliser:

L'image qui m'a le plus frappé, c'est celle où l'on voit ... :

... le torrent de boue au début du reportage. Ça allait si vite, c'était impressionnant.

... la jeune fille qui errait au bord de la rivière. Elle n'avait plus de maison. C'était triste.

▶ Texte

📖 Notre village est coupé du monde

9 Lecture rapide

1 Lisez le titre et le chapeau. Comment s'appelle le village dont il est question dans le titre?

2 Lisez rapidement l'article pour repérer le(s) paragraphe(s) où le journaliste vous informe:
   a du bilan des inondations
   b des dégâts dans le nord de l'île
   c des efforts de sauvetage dans le sud de l'île
   d des prévisions météo pour les prochains jours

10 Expressions-clé

Trouvez dans l'article les expressions qui correspondent aux définitions ci-dessous:

1 ménages, maisons (paragr. 2)
2 sans électricité (paragr. 2)
3 l'eau que l'on peut boire (paragr. 2)
4 l'usine de production d'électricité (paragr. 2)
5 de la nourriture (paragr. 4)
6 représentants, désignés lors d'élections (paragr. 6)
7 détériorer (paragr. 6)

11 Lecture approfondie

Les dégâts dans le nord de l'île

1 Complétez cette liste des dégâts subis dans le nord de l'île:
   a des routes départementales ont été détruites
   b des ponts ont été _____
   c des _____ ont été ravagées
   d la _____ envahie par la boue

2 Quelles ont été les conséquences des inondations pour les habitants de la région de Bastia? Complétez les phrases suivantes:
   a pendant toute la nuit de lundi, la région a été ___
   b beaucoup ont été _____ d'électricité
   c certains villages étaient privés _____

Les efforts de sauvetage dans le sud de l'île

3 Que va faire l'unité de sécurité de Brignoles?
4 Que font les sauveteurs en Corse-du-Sud?
5 Résumez la situation pour les habitants de Carbini.

Les prévisions météo

6 Les élus municipaux veulent tout de suite faire deux choses: de quoi s'agit-il?
7 L'auteur de cet article leur conseille d'être vigilants: pourquoi?

12 Exercice de vocabulaire

Vérifiez le sens des expressions de gauche en identifiant leur équivalent dans la colonne de droite:

1 la relative accalmie	a	une rivière dont le niveau d'eau est très haut
2 faire face à	b	ce qu'on trouve sous la main
3 travailler d'arrache-pied	c	le temps plus calme
4 la crue	d	essayer de régler un problème
5 les moyens du bord	e	nécessaire
6 de rigueur	f	travailler sans interruption

«Notre village est coupé du monde»

A Carbini (Corse-du-Sud), comme dans des dizaines de localité de l'île, les pluies diluviennes ont totalement isolé les habitants, qui dépendent souvent des hélicoptères pour le ravitaillement. Deux corps ont été retrouvés et six personnes étaient hier portées disparues, sans grand espoir de les retrouver vivantes.

Ajaccio

1 LE malheur s'est déplacé : après la Corse-du-Sud, lundi soir, c'est la Haute-Corse, et notamment la région de Bastia, qui a subi les pluies diluviennes et les inondations. Le bilan provisoire de cette catastrophe est de deux morts, six disparus. Les recherches se poursuivaient hier soir, mais sans grand espoir.

2 Dès lundi matin, le plan Orsec avait été déclenché pour toute l'île. Routes départementales détruites, ponts emportés, maisons ravagées : les dégâts sont considérables. La région de Bastia a été totalement isolée du reste de l'île pendant toute la nuit. En quelques heures, dans la soirée de lundi, il est tombé 140mm d'eau, 28 000 foyers ont été privés d'électricité. Il en restait 10 000 hier après-midi. Une dizaine de villages du département étaient privés d'eau potable. La centrale EDF de Lucciana, déjà détruite en septembre dernier par les inondations, a de nouveau été envahie par la boue.

3 Pendant ce temps, les sauveteurs et les responsables des administrations ont profité de la relative accalmie qui a sévi sur le sud pour tenter de faire face aux plus importants dégâts.

4 Mardi matin, cent vingt hommes de l'unité de sécurité civile de Brignoles habituellement détachée dans l'île, l'été, pour la lutte contre les incendies, sont arrivés à bord des cars-ferries, le «Daniel Casanova» et le «Napoléon», avec des bulldozers du génie et des ponts transportables. De nombreuses routes sont en effet coupées à cause de la disparition de leurs ponts, comme la RN198 reliant Solenzara à Porto-Vecchio, coupée en quatre endroits différents.

«Heureusement qu'il reste le téléphone»

5 Puisque, en Corse-du-Sud les pluies s'étaient interrompues, les sauveteurs ont travaillé d'arrache-pied pour tenter d'alimenter les villages les plus isolés, privés d'eau potable et d'électricité. Ainsi, à Carbini, des distributions de denrées alimentaires, de couvertures et de vêtements, sont organisées, livrées par hélicoptère. «Nous sommes encore cent cinquante à être bloqués à Carbini, explique Jean-Marc Battesti, habitant du village. Carbini est totalement isolé : les routes et les ponts sont détruits, emportés par la crue. Nous n'avons plus ni eau ni électricité. Nous nous éclairons avec les moyens du bord : bougies ou lampes à pétrole. «Heureusement qu'il nous reste le téléphone...»

6 Si tous les élus ont déjà tendance à vouloir évaluer les dégâts et à en appeler à la solidarité nationale pour les réparations – la vigilance est encore de rigueur. Les services de Météo France annoncent une nouvelle détérioration du temps pour demain avec des remontées orageuses pour le nord et l'est de l'île. Le bilan déjà catastrophique de ces dernières soixante-douze heures dans l'île de Beauté pourrait donc encore s'aggraver d'ici à ce week-end.

Le Parisien, 2 novembre 1993, Luc Mariani

Vocabulaire à retenir

l'inondation (f)	inondé
la crue	isolé
la catastrophe	détruit
la boue	défiguré
le bilan	privé { d'électricité
la solidarité	{ d'eau potable
les sinistrés (m)	coupé
les dégâts (m)	dévasté
les foyers (m)	bloqué
emporter	c'est dérisoire
sauver	c'est dingue
faire face à	
s'aggraver	
mener à bien	

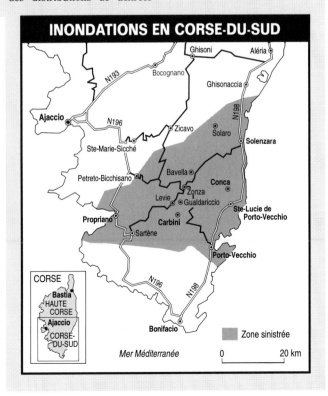

INONDATIONS EN CORSE-DU-SUD

Zone sinistrée

▶ Activités orales et écrites

13 Présentation: La photo c'est vous!

👥 Vous figurez dans une de ces photos. Sélectionnez votre personnage et expliquez à un partenaire ou à la classe qui vous êtes et les circonstances dans lesquelles vous vous trouviez au moment de la photo. Que s'est-il passé par la suite?

1

2

14 Discussion

👥 1 Votre quartier est inondé. Dans quelques minutes, les gendarmes viendront vous évacuer dans un bateau. Qu'allez-vous emporter avec vous? Choisissez cinq objets et expliquez à un partenaire pourquoi ils sont importants pour vous.

2 Travaillez en petits groupes. Votre groupe sera bientôt évacué et vous n'avez le droit d'emporter qu'un seul objet par groupe. Chaque étudiant choisit un objet de la liste suivante et doit persuader les autres que c'est justement cet objet là qu'il faut emporter.
- un téléviseur
- une radio
- votre manuel de français
- une boîte d'allumettes
- une boîte de crayons-couleurs
- un livre (à vous de préciser le titre)

Chaque groupe doit arriver à une décision sur l'objet à emporter.

15 Discours

🖋 Reprenez les paroles du maire de Ste Lucie. Imaginez qu'il parle devant un groupe de représentants du gouvernement. Il développe plus en détail la situation très difficile des habitants de sa commune. Il explique ce qu'il faut faire pour les aider (réparations, organisation du ravitaillement, hébergement de ceux qui ont perdu leur maison)… Rédigez son discours.

16 Reportage

Une équipe de TF1 décide de retourner au village de Ste Lucie pour faire un reportage sur les conséquences permanentes des inondations de 1993 et les souvenirs des habitants. Imaginez le reportage.

17 Lettre

🖋 Vous passiez une semaine à Bastia au moment des inondations. Vers la fin de votre visite vous envoyez une lettre à un(e) ami(e) dans laquelle vous lui racontez vos expériences. Complétez cette lettre.

> Bastia, le 5 novembre
>
> Cher/Chère…
> Tu dois te demander ce que je fais là en Corse! J'avais décidé de passer une petite semaine de vacances à Bastia – on m'avait dit qu'il faisait doux à cette époque de l'année! Et bien, non! Tu as certainement vu à la télévision les images des terribles inondations que nous avons vues ici la semaine dernière…

Le point sur la langue

Révisez **le passif** (et le passé composé) dans une grammaire. Dans l'article sur les conséquences des intempéries en Corse le journaliste emploie souvent des tournures passives, comme:

> les ponts **ont été emportés**
> au lieu de: la crue a emporté les ponts
>
> le village **a été isolé**
> au lieu de: les inondations ont isolé le village

Contrôle

1 Complétez les phrases suivantes en utilisant une tournure passive au passé composé:
  a Lundi matin, le plan Orsec *a été déclenché*.
  b La route nationale 198…
  c Les habitants de Carbini…
  d A Carbini, des denrées alimentaires…
  e Près de Carbini, des ponts…
  f Une nouvelle détérioration du temps…

2 Étudiez la forme du verbe dans ces deux phrases: s'agit-il d'une tournure passive?
  a Dans la soirée de lundi, **il est tombé** 140mm d'eau.
  b Cent vingt hommes de l'unité de sécurité civile **sont arrivés** à bord des car-ferries…

▶ Reportage télévisé 1B

📺 Chutes de neige inattendues

1 Préparez-vous!

1 Quelles peuvent être les conséquences des chutes de neige inattendues? Sophie parlera dans son introduction d'«importantes perturbations sur les routes et les voies ferroviaires»: que pensez-vous que cette expression veut dire?

2 Quelles autres conséquences pouvez-vous imaginer? Faites-en une liste.

3 A votre avis, dans quelles régions de France les chutes de neige sont-elles les plus abondantes?

4 Cherchez sur une carte de France les villes de Lyon, St Étienne, Vienne et Montpellier, ainsi que la vallée du Rhône.

2 Les images

1 Étudiez la liste ci-dessous. Regardez le reportage *sans* le son et identifiez la seule image qui *ne figure pas* dans le reportage.

1 des embouteillages sur une autoroute
2 un câble à haute tension cassé
3 une voie ferroviaire couverte de neige
4 un car de touristes bloqué dans la neige
5 la vitrine illuminée d'une pâtisserie
6 un groupe électrogène
7 une serre avec des plantes
8 une vieille dame à sa fenêtre
9 des techniciens qui réparent les câbles électriques

2 A en juger par les images, quelles ont été les conséquences principales de ces chutes de neige?

3 Pour comprendre l'essentiel

Regardez le reportage *avec* le son. Répondez aux questions suivantes:

1 **Quelles** régions ont été touchées par les intempéries?
   a toute la France?
   b l'est de la France?
   c seulement la région lyonnaise?

2 **Quelles** sont les conséquences des chutes de neige:
   a sur l'autoroute A7
   b pour le traffic ferroviaire
   c pour les habitants de St Just-St Rambert

4 Expressions-clé

Vérifiez le sens des expressions de gauche en indiquant leur équivalent dans la colonne de droite:

1 les grands axes	**a**	un accident résultant en une panne d'électricité
2 privés d'électricité	**b**	bloqué par des embouteillages
3 des coupures (de courant)	**c**	les grandes routes
4 un court circuit	**d**	des pannes d'électricité
5 encombré	**e**	sans électricité

5 Vrai ou faux?

Lisez ces cinq affirmations. Corrigez celles qui sont fausses. (Il y en a deux.)

1 L'autoroute A7 a été fermée principalement à cause d'accidents.
2 A St Just-St Rambert seulement la pâtisserie est ouverte.
3 Le poste à haute tension du village est hors service.
4 Les techniciens EDF attendent du matériel qui doit venir de Paris.
5 La vallée du Rhône est encombrée.

6 Les témoins

Regardez la section où l'on parle de ces quatre habitants de St Just-St Rambert. Répondez aux questions qui les concernent:

1

2

3

4

1 Le mari de cette jeune femme ne travaille pas: pourquoi?
2 Le pâtissier, lui, travaille normalement: comment est-ce possible?
3 Le fleuriste, lui, est inquiet: pourquoi?
4 Cette dame est chez sa voisine: pourquoi?

7 Vos réactions

A votre avis, qui parmi ces quatre personnes a été la plus sérieusement touchée par les chutes de neige?

8 **Vérification**

Lisez maintenant cet article sur la journée difficile des habitants de St Just-St Rambert. Complétez les blancs avec l'expression qui convient. Pour vous aider, la première lettre de chaque mot est indiquée. Toutes les expressions figurent dans le reportage télévisé.

Journée difficile à St Just-St Rambert

La journée d'hier a été difficile pour les habitants de St Just-St Rambert. Ils se sont tous réveillés les pieds dans la neige et pr_____(1) d'électricité. Partout dans la région des câbles à h_____ t_____(2) avaient cédé sous le p____(3) de la neige, et la situation était particulièrement difficile pour les douze mille habitants de ce petit village car le poste à haute tension du village s'était e____(4) à la suite d'un court circuit. «Chez moi, je n'ai ni ch____(5) ni cuisinière», a déclaré Mme Vincent, âgée de 76 ans. «J'ai été o____(6) de venir faire mon dîner chez la voisine.» Toute la vie économique du village a été p____(7). La plupart des commerces ont dû fermer à cause des c____(8) de courant. Ceux qui partaient travailler à St Étienne se sont trouvés coincés dans d'énormes embouteillages car beaucoup de routes étaient bl_____(9) par la neige. Le traffic f_____(10) quant à lui a été interrompu: hier après-midi pas un seul train n'a pu quitter la gare de St Étienne. Sur la place du village de St Just-St Rambert, seul le p____(11) était ouvert: il a continué de travailler grâce à son groupe électrogène, commandé avant hier. De la prévoyance qui paie!

▶ Texte

📖 Météorologie

9 **Lecture rapide**

1 Regardez la carte météo. Cette prévision du temps correspond-elle au même jour que celle du reportage télévisé?

2 Parcourez le texte et notez le temps dans les différentes régions. Dans quelle région aimeriez-vous vous trouver?

3 Donnez quelques conseils aux visiteurs des villes suivantes en fonction du temps prévu.
Par exemple:
Strasbourg
Si vous allez à Strasbourg, n'oubliez pas vos gants car il fera froid.

   a Reims
   b Ajaccio
   c Tours
   d Biarritz

MÉTÉOROLOGIE

Bretagne, Pays de Loire, Normandie.

En Haute-Normandie les chaussées seront rendues glissantes par le verglas jusqu'à la mi-journée. Ensuite, le ciel sera couvert avec des pluies faibles. Les Pays de Loire et la Bretagne auront un temps très nuageux, avec de la pluie l'après-midi.

Nord, Picardie, Ile-de-France.

Sur le Nord, il neigera une grande partie de la journée, les températures ne remonteront qu'en fin d'après-midi. Le matin, en Picardie et en Ile-de-France, les chaussées seront rendues glissantes par le verglas. Ensuite, des pluies faibles et éparses tomberont jusqu'au soir.

Champagne-Ardennes, Lorraine, Alsace, Bourgogne, Franche-Comté.

En Champagne et en Lorraine, le verglas du matin laissera progressivement la place à des pluies faibles. Il faudra faire attention en Alsace, où le redoux sera plus tardif. Ailleurs les nuages seront abondants avec quelques petites pluies.

Poitou-Charentes, Centre, Limousin.

Sur le Centre, le ciel restera très nuageux avec de petites pluies, surtout en fin d'après-midi. Sur les autres régions, les nuages seront abondants mais il ne pleuvra pas.

Aquitaine, Midi-Pyrénées.

Après la dissipation des brouillards matinaux, quelques éclaircies reviendront. Toutefois, en cours d'après-midi, les nuages se feront plus denses sur les Pyrénées. Sur la côte atlantique un vent fort soufflera jusqu'à 90km en rafales. La pluie arrivera pendant la nuit.

Auvergne, Rhône-Alpes.

Sur ces régions, les nuages du matin laisseront place à de timides éclaircies en cours d'après-midi.

Provence-Alpes, Côte-d'Azur, Languedoc, Roussillon, Corse.

C'est dans ces régions que les éclaircies seront les plus fréquentes avec un ciel peu nuageux.

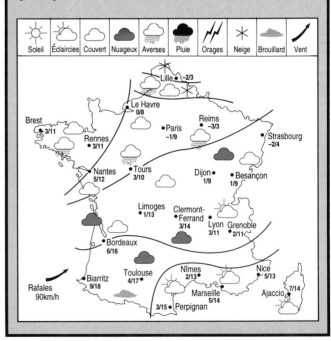

VOIX EXPRESS

La neige vous a-t-elle posé des problèmes hier dans vos trajets quotidiens?

1
- **Charles Goudin**
- **35 ans**
- **Agent RATP**
- **Villeparisis (77)**

«J'ai découvert la neige en ouvrant mes volets ce matin. J'ai donc décidé de partir une demi-heure plus tôt par précaution. Il a fallu que je gratte la voiture qui dort dehors. A 8h, j'ai roulé doucement car toutes les routes étaient très glissantes. Les services de voirie ont dû être surpris par ces chutes de neige plutôt précoces. Aucun axe n'était sablé. Mais, vers midi, tout était rentré dans l'ordre.»

2
- **Francis Servan**
- **25 ans**
- **Chauffeur**
- **Dunkerque (62)**

«Comme chaque fois que je fais le trajet Dunkerque-Paris et malgré la neige, je suis parti à 5h pour arriver sur la capitale à 9h 30. Il a neigé, mais ça roulait bien. Je n'ai rencontré de gros bouchons que sur l'autoroute A1 depuis Charles-de-Gaulle*. Et je ne suis pas persuadé que ce soit à cause de la neige. Des encombrements sur cette portion d'autoroute, c'est régulier!»

3
- **Nadine Dupeux**
- **21 ans**
- **Étudiante**
- **Argenteuil (95)**

«Je ne suis pas une pro de la conduite, alors ce matin, c'était la panique! En plus, j'habite sur un coteau, où les routes en pente, couvertes de neige, sont franchement glissantes. Et pas un seul grain de sel sur mon itinéraire... Résultat, j'ai mis deux heures pour rejoindre l'IUT de Saint-Denis. Heureusement, je n'étais pas la seule. Même les professeurs sont arrivés en retard.»

4
- **Marta Rojas**
- **18 ans**
- **Étudiante**
- **Saint-Denis (93)**

«Depuis deux ans que je suis en France, c'est la première fois que je vois de la neige à Saint-Denis où je fais mes études. J'ai pris l'autobus, comme tous les jours, et je n'ai pas été en retard. La neige, c'est comme un rayon de soleil en plein hiver. Ça me mettrait plutôt de bonne humeur. Mais je suis habituée ... Dans mon pays, au Vénézuéla, j'habite à proximité de la cordillère des Andes!»

5
- **Gérard Savignon**
- **44 ans**
- **Marchand de journaux**
- **Stains (93)**

«Je quitte mon domicile à 7h 30 pour aller chercher les journaux du jour à Aubervilliers avant de rejoindre mon kiosque à Saint-Denis. C'est fou le nombre de piétons que j'ai vu chuter sur les trottoirs. La fine couche de neige avait eu le temps de se tasser et de devenir une vraie patinoire! Au volant de mon 4 x 4, c'était pire. A plusieurs reprises, j'ai senti le véhicule glisser, il m'échappait.»

* C'est l'aéroport principal de Paris, situé à Roissy.

Le Parisien, 23 novembre 1993

▶ Texte

📖 Voix Express

Pendant la nuit du 22/23 novembre 1993, il est tombé beaucoup de neige dans la région parisienne. Personne ne l'avait prévu. *Le Parisien* a demandé à des passants de raconter leur journée.

10 Lecture rapide

Lisez ces cinq témoignages pour trouver:
1 celui qui est parti plus tôt que d'habitude
2 celui qui s'est mis en route à 5h
3 celle qui est arrivée à l'heure à son cours
4 celle qui aime la neige
5 celle qui est arrivée en retard à son cours
6 celui qui est parti de chez lui à 7h30
7 celui qui s'est trouvé coincé dans des embouteillages
8 celle qui n'est pas une conductrice très expérimentée

11 Exercice de vocabulaire

Trouvez les expressions équivalentes à celles-ci:
1 des embouteillages
2 une petite colline
3 ça me remonterait le moral
4 tout était redevenu normal
5 ma maison
6 il m'a fallu deux heures
7 plusieurs fois de suite
8 qui arrivent tôt dans la saison

12 Vos réactions

A votre avis, qui a eu la journée la plus difficile? Pourquoi?

▶ Activités orales et écrites

13 Présentation: La photo c'est vous!
👥 Vous figurez dans une de ces photos. Sélectionnez votre personnage et expliquez à un partenaire ou à la classe qui vous êtes et les circonstances dans lesquelles vous vous trouviez au moment de la photo. Que s'est-il passé par la suite?

1

2

14 Récit
🖋 Comment votre routine change-t-elle quand il y a de la neige? Racontez une journée de neige inattendue aux autres étudiants. Vous pouvez commencer de la même façon que M. Goudin.
Par exemple:
J'ai découvert la neige en ouvrant mes volets ce matin...

15 Article de journal
👥🖋 Travail de groupe. Suivant le modèle de «Voix Express», rédigez sous forme d'article vos différents récits en essayant d'être original dans votre choix de première phrase.

16 Sondage
👥 Posez des questions à un partenaire pour savoir quelle saison de l'année il/elle préfère et pour quelles raisons. Notez ses réponses pour pouvoir en parler à la classe. Quelle est la saison préférée de la majorité? Pour quelles raisons?

17 Bulletin météorologique
🖋 Rédigez un bulletin météo pour la télévision ou la radio à partir de la carte suivante.
Vous pouvez commencer ainsi:

Mesdames, Messieurs, Bonsoir... Eh bien c'est la pluie qui domine la météo d'aujourd'hui...

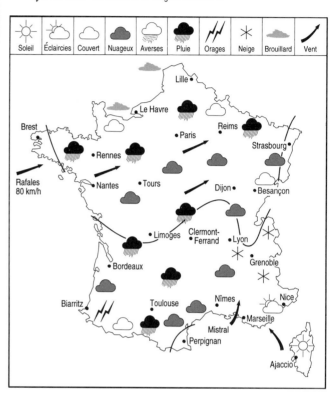

Vocabulaire à retenir

la circulation	céder
la chute de neige	chauffer
la perturbation	s'enflammer
le traffic ⎫ ferroviaire	glisser
la voie ⎭	mettre (qqn) de bonne humeur
le bouchon	semer une belle pagaille
la coupure de courant	bloqué
le chauffage	glissant
le verglas	inattendu
la chaussée	perturbé
l'éclaircie (f)	interrompu
la patinoire	privé d'électricité
les grands axes (m)	encombré
les foyers (m)	
les pieds dans la neige	
par précaution	

Le tourisme est une activité économique très importante pour la France et représente quelques 1,5 millions d'emplois. Mais ces dernières années le tourisme français a connu quelques difficultés. Les deux reportages télévisés que comporte ce dossier parlent des problèmes du tourisme, mais concernent différentes régions et différentes saisons touristiques.

La stratégie du dossier: augmentez votre culture générale!

Pour mieux suivre ces reportages, nous vous proposons de vous informer avant de les regarder. Vous avez peut-être déjà des connaissances sur le tourisme français; vous en saurez plus en lisant les courts textes présentés ci-dessous, et ainsi vous pourrez concevoir les problèmes qui confrontent les professionnels du tourisme français. Tout ce travail préalable vous aidera à mieux comprendre les reportages.

▶ Reportage télévisé 2A

📺 La nouvelle campagne des stations de ski

1 Préparez-vous!
  1 Est-ce que vous êtes déjà parti aux sports d'hiver? Où? Cela vous a-t-il plu?
  2 Quelles régions françaises sont particulièrement concernées par le tourisme d'hiver?
  3 Lisez le texte ci-dessous et répondez aux questions:
    a Pourquoi les saisons 1988–90 ont-elles été particulièrement difficiles pour les stations de ski?
    b Expliquez l'amélioration constatée à partir de 1991.
    c Le ski n'est pas un sport «démocratique»: expliquez pourquoi.

La proportion de Français partant aux sports d'hiver avait diminué fortement entre 1984 et 1990, principalement en raison du manque de neige dans les stations au cours des saisons de 1988, 1989 et 1990. Grâce aux meilleures conditions climatiques, les Français ont retrouvé le chemin vers les cîmes enneigées en 1991. La saison 1991–92 a été elle aussi excellente, grâce à une neige abondante et à la tenue des Jeux Olympiques d'hiver à Albertville en Savoie.

Cependant, le taux de départs aux sports d'hiver reste inférieur à 10% de la population française. La «démocratisation» de la neige est encore loin d'être réalisée. La principale raison est sans doute économique: le budget d'une famille de quatre personnes, dont deux enfants, atteint vite 10 000 francs pour une semaine. A budget égal, bien des familles préfèrent partir au soleil!

  4 Comment pourrait-on attirer davantage de touristes aux stations de ski? Proposez au moins trois solutions possibles.

2 Pour comprendre l'essentiel
Regardez le reportage télévisé. Résumez son contenu essentiel en répondant aux questions suivantes:
  1 **Comment** s'annonce la saison?
  2 **Pourquoi**?
  3 **Comment** propose-t-on d'attirer plus de monde?

3 Expressions-clé
Vérifiez le sens des expressions de gauche en identifiant leur équivalent dans la colonne de droite.
  1 le benjamin   **a** le fait de devoir de l'argent (à la banque)
  2 l'invité   **b** la relaxation
  3 une enquête   **c** le plus jeune enfant
  4 la détente   **d** encourageantes
  5 les périodes creuses **e** celui qui ne paie pas
  6 l'endettement   **f** un sondage
  7 prometteuses   **g** les moments où il y a le moins de monde

4 Vrai ou faux?
Lisez ces six affirmations et corrigez celles qui sont fausses. (Il y en a deux.)
  1 Les stations de ski cherchent à attirer plus de touristes pendant les vacances de Noël.
  2 La formule proposée consiste à offrir des réductions de 50% dans les hôtels.
  3 La majorité des touristes ne viennent pas à la montagne simplement pour faire du ski.
  4 Les stations de ski veulent attirer une nouvelle clientèle à la montagne pendant les périodes creuses.
  5 Les stations de ski connaissent quelques problèmes financiers.
  6 Il n'y a pas encore de neige dans les Pyrénées.

5 Vérification
Quelques erreurs se sont glissées dans cet article, basé sur le reportage télévisé. Ré-écrivez le texte en les corrigeant:

Noël plus haut, Noël plus joyeux
C'est le slogan trouvé par les professionnels de la montagne pour attirer les Français vers les cîmes enneigées à Noël. 40% des stations de ski françaises participent à cette opération de charme qui vise à séduire le porte-monnaie. Du 9 au 26 décembre, les familles de quatre personnes ou plus peuvent bénéficier d'intéressantes réductions: le séjour à l'hôtel ainsi que la location des skis et les leçons seront offerts gratuitement à la quatrième personne. Selon une enquête commandée par les stations, 50% des touristes ne viennent pas seulement à la montagne pour l'amour du ski mais plutôt pour l'ambiance. Les stations de ski vont donc essayer d'attirer cette clientèle aux périodes les plus creuses. Ils souhaitent ainsi combattre leur endettement. Mais les professionnels ne sont pas optimistes. Les réservations pour la haute saison de février/mars ne sont pas encore très nombreuses et la neige n'a pas encore commencé à tomber dans les Alpes.

▶ Texte

📖 Un hiver sur les planches

6 Lecture rapide
1 Lisez d'abord le chapeau de cet article. Les stations françaises veulent changer leur image du «ski-béton» à la «montagne-détente». Qu'est-ce que cela veut dire à votre avis?
2 Pourquoi veulent-elles changer d'image?
3 Parcourez maintenant le texte entier pour repérer le(s) paragraphe(s) où le journaliste vous parle de:
   a l'évolution des stations de sports d'hiver
   b la nouvelle politique des stations
   c les changements mis en place par les stations de ski

7 Expressions-clé
Trouvez dans le texte les expressions qui correspondent aux suivantes:
1 âgé de cent ans
2 la marche à pied
3 les passionnés du ski (deux expressions)
4 très sérieusement touchées
5 connaissent une réduction dans leurs affaires
6 les équipements
7 des services d'information
8 le logement
9 (monter) très vite

8 Lecture approfondie
L'évolution des stations de sports d'hiver
1 Qu'est-ce qui caractérise les stations de sports d'hiver et leurs clients pendant les deux périodes suivantes?
   a la première génération des stations de ski
   b la période de l'après guerre (surtout celle des années 1970)

La nouvelle politique des stations
2 Expliquez dans ce contexte l'expression «à toute chose malheur est bon». Quel était le malheur? Quelles sont les conséquences positives de ce malheur?
3 Quel est le but des professionnels de la montagne et pourquoi (à votre avis)?

Les changements mis en place par les stations de ski
4 Que propose-t-on pour rendre l'aspect extérieur des stations plus agréable?
5 Que propose-t-on pour aider les touristes étrangers?
6 Que propose-t-on pour les enfants?
7 Quels sont les avantages des formules «tout compris»?

9 Vos réactions
1 Faites une liste de toutes les différentes activités proposées dans les stations de ski. Quelles sont celles qui vous tenteraient le plus?
2 Croyez-vous que toutes ces mesures suffiront pour attirer de nouveaux clients à la montagne? Pourquoi?

Le point sur la langue
A partir d'un même élément, on peut construire plusieurs mots, comme un nom, adjectif, verbe etc.

la **neige**-**neig**er-en**neig**é-l'en**neig**ement
n.f   v.   adj.   n.m

Contrôle
1 Pour chaque mot ci-dessous, cherchez dans le texte un autre mot de la même famille. L'abréviation entre parenthèses identifie la forme du mot (nom féminin, nom masculin, adjectif, verbe) que vous cherchez.
Par exemple: cent: *centenaire* (adj.)

   a ski _____ (adj.)
   b Alpes: _____ (adj.)
   c accueillir _____ (n.m.)
   d accueillir _____ (adj.)
   e bois _____ (v.)
   f chouchou_____ (v.)
   g héberger _____ (n.m.)
   h climat _____ (adj.)
   i garder _____ (n.f.)

2 Voici des expressions utilisées dans ce dossier. Pour chacune d'entre elles, proposez d'autres mots de la même famille que vous connaissez:
Par exemple: endettement: *dette, endetter*

   a piétonne
   b amoureux
   c responsables
   d prometteuse
   e creuse
   f remontée
   g traîneau
   h invité

SKI

Un hiver sur les planches

Les stations françaises, après avoir longtemps favorisé le tandem «ski-béton», choisissent aujourd'hui le couple «montagne-détente». Médiocres saisons passées obligent.

1 A peine centenaires les sports d'hiver n'en ont pas moins connu de profonds bouleversements. Dans les stations dites «de la première génération», du type Chamonix ou Briançon, se retrouvaient amoureux de la nature, de la randonnée ou de l'escalade. Après la guerre et surtout dans les années 1970, les ensembles ultramodernes poussent comme des fleurs de béton au milieu des neiges, répondant ainsi au phénomène de masse que sont devenus les sports d'hiver.

2 Pendant ce temps, les remontées mécaniques tissent sur les massifs une gigantesque toile d'araignée métallique, portant ainsi le domaine skiable français à 1 200km – le premier du monde, loin devant la Suisse (840km) et l'Autriche (790km). Envers du décor : toutes ces infrastructures ont été conçues pour les «accros» de ski, et eux seulement, un choix que n'ont pas fait nos voisins alpins.

3 La réaction est venue en même temps que les mauvaises conditions climatiques. Frappées de plein fouet par le manque d'enneigement, les stations accusent une nette récession.

4 Mais, comme à toute chose malheur est bon, elles en tirent leçon : «Les trois dernières saisons, particulièrement difficiles, nous ont fait prendre conscience qu'il fallait changer l'image de la montagne», explique Gérard Morand, maire de Mégève et président de l'Association des maires des stations françaises de sports d'hiver, bien décidés à conquérir et reconquérir la clientèle française. Les chiffres sont formels : 61% des Français ne sont jamais partis aux sports d'hiver, et les «mordus» de ski représentent seulement 25% de la clientèle. Le but est de tous les séduire, en montrant une autre montagne, accueillante et pluridisciplinaire.

5 Les efforts portent alors sur quatre thèmes principaux : accueil, famille, formules «tout compris», activités hors ski. Sans oublier, bien sûr, les infrastructures nouvelles – logement et remontées mécaniques, et les équipements des Jeux Olympiques.

6 Accueil tout d'abord, point essentiel : «Il nous faut acquérir une qualité de services aussi bonne que celle de nos voisins suisses et autrichiens», souligne Bernard Aubonnet, président de PAM (Professionnels Associés de la Montagne). Message reçu. Cet hiver, les stations cachent le béton, reboisent, tracent des zones piétonnes. Les offices de tourisme installent des permanences d'accueil pour les voyageurs, informent en plusieurs langues, proposent des activités annexes.

7 La famille est l'autre point fort de cette saison. Les stations chouchoutent les enfants, de 3 mois à 17 ans : garderies, stages, et centres de loisirs pour les enfants seuls.

8 Les formules «tout compris», elles, apportent tranquillité et petits prix, englobant hébergement et cours de ski, mais aussi différentes activités de loisirs. En effet les activités hors ski montent en flèche : du tournoi de bridge au scooter des neiges, en passant par le tennis ou la balade en traîneau, voilà enfin de quoi contenter tous les goûts. ●

Christine Ramain

Parcours, novembre 1991

Vocabulaire à retenir

le responsable (m,f)	la randonnée	attirer
l'invité (m)	l'infrastructure (f)	monter en flèche
la période creuse	la remontée mécanique	louer (des skis)
le forfait	l'hébergement (m)	«à toute chose malheur est bon»
l'enquête (f)	la zone piétonne	une formule «tout compris»
la détente	le béton	les «accrocs» de... (m)
le centre de loisirs	l'accueil (m) – accueillir	
	la permanence	

▶ Activités orales et écrites

10 Présentation: Je suis allé à Chamonix

👥 En groupe. L'étudiant no.1 commence en disant: *Je suis allé à Chamonix* et ajoute une activité: *j'ai fait du ski*. L'étudiant no.2 répète et rajoute une deuxième activité. Cela continue jusqu'au dernier étudiant qui doit tout répéter. Quelqu'un écrira en même temps la liste des phrases au tableau.

Séjour semaine

SERRE-CHEVALIER

91 pistes
200 km de ski
Surf
Monoski
Ski de fond

C'est encore une nouveauté.
Formule Plus a également pensé à vos vacances d'hiver.
Du samedi au samedi suivant une semaine pour faire le plein de ski.
Composez ce séjour à votre rythme et à votre guise.
Départ de Marseille 6h00 ou 8h au choix et 6h38 ou 8h36 d'Aix-en-Provence.
Choisissez de loger 7 jours en studio, deux pièces ou en hôtel avec demi-pension ou pension.

Exemples de prix (FF) par personne, forfait remontées mécaniques en option.

	JANVIER	FÉVRIER	MARS
Hôtel * en ch. double demi-pension	1342	1497	1497
Hôtel ** en ch. double demi-pension	1622	1816	1816
Studio occupé par 2 personnes	451	841	645
Studio occupé par 4 personnes	453	840	633
Deux-pièces occupé par 6 personnes	433	794	598
Forfait ski 6 jours Serre-Chevalier		565	

Séjour semaine: La formule à prix dingues.

Renseignements-Réservations

gares de Marseille St Charles (Tél. 91 95 14 34) et Aix-en-Provence (Tél. 42 26 09 95) et les agences de voyages de ces 2 villes.

SNCF

---

11 Dialogue: faire des réservations
👥 Étudiez la brochure à gauche.

Étudiant A
Vous allez passer Noël à Marseille et puis la première semaine du mois de janvier aux sports d'hiver avec un(e) ami(e). Vous trouvez la formule tout compris pour une semaine à Serre-Chevalier proposée par la SNCF très intéressante.
- Décidez les dates de votre séjour.
- Choisissez votre type de logement.
- Décidez votre heure de départ de Marseille.
- Téléphonez à la gare St Charles pour faire votre réservation.

N'oubliez pas de:
- demander des explications concernant le «Forfait ski 6 jours Serre-Chevalier»,
- demander la confirmation des prix et noter le prix total du séjour par personne.

Étudiant B
Vous travaillez à la gare St Charles à Marseille.
On vous appelle pour réserver un séjour d'une semaine à Serre-Chevalier.

Pour faire la réservation, il vous faut savoir:
- les dates du séjour du client
- la formule logement choisie
- si le client veut partir de Marseille ou d'Aix-en-Provence, et à quelle heure
- si le client veut aussi le Forfait ski 6 jours (formule qui englobe location de skis plus forfait remontées mécaniques)

N'oubliez pas de:
- signaler au client que les prix ont légèrement augmenté: à vous de décider de combien!
- noter les coordonnées du client (nom, adresse, téléphone) pour l'envoi des billets
- communiquer au client la référence pour sa réservation (à vous de l'inventer).

12 Lettre: confirmer le séjour
🖋 **Étudiant A**
Vous écrivez une lettre à l'ami(e) avec qui vous allez partir à Serre-Chevalier dans laquelle vous lui expliquez les dispositions que vous avez prises pour votre séjour à Serre-Chevalier.

🖋 **Étudiant B**
Vous rédigez une lettre à l'étudiant A confirmant sa réservation.

13 Carte postale
🖋 Vous passez huit jours dans une station de ski française, d'où vous envoyez une carte postale à un(e) ami(e) francophone. Vous décrivez la station et racontez les différentes activités que vous avez entreprises.

▶ Reportage télévisé 2B

📺 **La Corse, désertée par les vacanciers**

1 Préparez-vous!

1 Quelles régions françaises sont particulièrement concernées par le tourisme d'été?

2 Lisez le court texte ci-dessous sur la Corse. Pourquoi la Corse est-elle *un endroit idéal pour les vacances*?

La Corse, située à 170km des côtes françaises, est l'une des trois grandes îles de la Méditerranée. La population est concentrée dans les deux villes principales, Bastia dans le nord et Ajaccio dans le sud. Aussi de grandes étendues restent-elles inhabitées et il y a beaucoup d'espaces libres, dans ses montagnes, ses forêts et ses plages, dont 400km de sable fin. C'est donc un endroit idéal pour les vacances.

La Corse n'a pas un climat uniforme; elle en a au moins trois qui correspondent chacun à une altitude différente variant de 0 à 2 000m. On peut donc séjourner en montagne pendant l'été, chasser et pêcher sur les pentes de moyenne altitude au printemps et puis, se baigner sur la côte pendant plus de six mois de l'année. En fait, le bain de mer est agréable de mai à novembre, car la température de l'eau ne descend pas au-dessous de 15° pendant cette période et atteint même 25° pendant le mois d'août.

3 Le reportage que vous allez voir est intitulé «La Corse désertée par les vacanciers». Pourquoi à votre avis, la Corse serait-elle désertée par les vacanciers? Faites une liste d'explications possibles.

2 Pour comprendre l'essentiel

Regardez le reportage télévisé. Résumez son contenu essentiel en répondant aux questions suivantes:

1 **Comment** s'annonce la saison en Corse?

2 **Pourquoi**?

3 Vrai ou faux?

Lisez ces cinq affirmations et corrigez celles qui sont fausses. (Il y en a quatre.)

1 En 1993 les Français sont plus nombreux à partir en vacances.

2 La Corse vient d'établir une nouvelle stratégie touristique.

3 En général, les prix pour les touristes sont plutôt élevés en Corse.

4 Ce qui décourage les touristes à venir en Corse, c'est surtout la violence.

5 Cette année la Corse a accueilli 30% de moins de touristes que les années précédentes.

4 Expressions-clé

Vérifiez le sens de ces huit expressions en identifiant leur équivalent dans la liste du bas:

1 (pratiquer) des tarifs

2 rentabiliser (un hôtel)

3 faire le plein (20 jours par an)

4 (payer) au prix fort

5 les prestations (éphémères)

6 remplir l'escarcelle

7 (un tourisme) plus étalé

8 (des plages) épargnées par le béton

a arriver à faire des bénéfices

b très cher

c des prix

d sauvages, sans construction

e moins concentré sur une seule période de l'année

f les services

g accueillir le maximum de clients

h se faire de l'argent

5 En particulier

1 Le journaliste fait allusion aux Baléares et à St Tropez. Quel type de tourisme associez-vous à chacune de ces destinations?

2 De quel type de tourisme s'agit-il en Corse?

3 Quelle est la solution préconisée par M. Raffali?

   a favoriser un tourisme de qualité et concentrer la saison touristique pendant les deux mois de l'été

   b baisser le prix et étaler la saison touristique pendant toute l'année

   c encourager un tourisme familial en construisant plus de centres de vacances

4 Le journaliste met l'accent sur quelques aspects positifs de la Corse: lesquels?

6 Vérification

Trouvez les expressions (toutes employées dans le reportage) pour compléter les blancs.

La Corse: l'île désertée

Pourquoi les vacanciers sont-ils moins n____(1) à visiter la Corse cette année? La réponse: c'est trop loin, trop cher et trop risqué! Selon M. Jean Baggioni, Président Exécutif Régional Corse, beaucoup d'e____ (2) ont été commises par le passé et la Corse n'a toujours pas é____(3) de stratégie touristique: faut-il, par exemple, encourager un tourisme de masse ou plutôt un tourisme de qu____(4) ? Faut-il encourager un tourisme plus é_____(5) sur l'année? Actuellement, la véritable saison touristique se limite aux mois de juillet et août et il est bien sûr difficile de r___ (6) un hôtel ou un restaurant lorsqu'on ne f____ l___ p____ (7) que trois semaines de l'année, mais en pratiquant des t____(8) aussi élevés qu'à St Tropez, les professionnels du tourisme risquent de décourager les touristes. Les grèves et la v____(9) qu'a connues récemment la Corse contribuent elles aussi à créer une situation difficile pour l'île de Beauté, d'autant plus que le tourisme est la p_____ a_____ (10) économique de l'île.

CORSE : SORTIR DE LA VIOLENCE

1993 est marquée par une recrudescence des attentats en Corse, rendant ainsi l'avenir de l'île plus incertain encore. Notamment sur les plans économique et politique. Le point sur la situation dans l'île de Beauté.

1 Au XVIIIe siècle, neuf cents personnes décédaient de mort violente tous les ans dans l'île. Vengeances familiales (vendettas) ou banditisme ont toujours existé, en réaction aux occupations étrangères successives, et comme mode de résolution des conflits entre communautés. En 1991, plus de cinq cents attentats et cinquante et un meurtres (trois fois plus que la moyenne nationale) ont été commis en Corse. Ces violences, qu'elles soient aujourd'hui le fait d'extrémistes politiques ou de malfaiteurs, sont liées à l'histoire même de l'île.

2 Française depuis 1789, la Corse était administrée auparavant par Gênes (Italie) qui avait confié la tutelle de l'île à la France dès 1768. Les Anglais réussissent à s'emparer de l'île en 1794, mais Bonaparte les chasse en 1796, rétablit l'administration de la République française, tout en la dotant d'un statut particulier.

3 L'État investit actuellement deux fois plus, proportionnellement, en Corse que sur le continent. L'île paye moins d'impôts, emploie deux fois plus de fonctionnaires que les autres départements.

4 La loi de mars 1982 qui fixe la nouvelle organisation administrative de la Corse voulait répondre à un désir de plus grande autonomie de décision pour les Corses, dans le cadre de l'État français. Plus récemment, en 1992, les textes élaborés par Pierre Joxe, alors ministre de l'Intérieur, ont encore renforcé les pouvoirs de l'Assemblée régionale.

5 La Corse ne possède pas de structures industrielles, en dehors du bâtiment. L'agriculture traditionnelle n'a cessé de se détériorer (30% des terres cultivées en 1800, contre 5% aujourd'hui). La culture des fruits et légumes et la viticulture sont les seuls secteurs qui se maintiennent. C'est le secteur tertiaire (les services) qui marche le mieux, principalement avec le tourisme. La Corse accueille près d'un million et demi de touristes chaque été.

6 Les attentats de ces dernières années sont en général revendiqués par le Front de Libération Nationale de la Corse. Cette organisation clandestine, créée en 1976 (interdite en 1982), réclame l'indépendance de la Corse, et s'attaque par les armes aux intérêts de l'État et des continentaux en Corse.

7 En dehors du FLNC, attentats et meurtres sont aussi commis par d'autres groupes armés rivaux ou opposés aux thèses des nationalistes, ou par des malfaiteurs qui profitent du climat de violence. Ce qui rend difficile d'assurer la stabilité politique et économique. En effet, aussi longtemps que la sécurité ne sera pas assurée dans l'île, les investisseurs extérieurs seront peu enclins à y placer leurs fonds.

EN CLAIR
Nationalisme : la revendication, pour un groupe uni par un même territoire, une même langue, des traditions communes, de former une nation, un État indépendant.

CORSE
Population : 251 000 habitants
Population active : 97 000, dont 55 000 dans le tourisme et 30 000 fonctionnaires ou employés des collectivités locales.
Taux de chômage : 10,5 %.

Clés de l'Actualité, 15 septembre 1994

▶ Texte

📖 Corse: sortir de la violence

Dans le reportage 2B, on fait allusion au problème de la violence en Corse. Ce texte porte sur la situation actuelle en Corse et sur les raisons de cette violence.

7 Lecture rapide
Ce texte est divisé en quatre sections. Lisez-le et choisissez l'intertitre ci-dessous qui convient à chaque section.
  a L'histoire
  b L'économie
  c Un statut particulier
  d Le terrorisme

8 Lecture approfondie
Paragraphes 1 et 2
  1 Selon ce texte la violence a toujours existé en Corse: comment peut-on expliquer cette violence?
  2 Qui est responsable de la violence actuelle?
    a _____
    b _____
  3 En quelle année la Corse est-elle devenue française?
  4 A quelles autres nations la Corse a-t-elle appartenu?

Paragraphes 3 et 4
  5 Quelles sont les différences entre la Corse et les autres départements français?
  6 Complétez la phrase suivante: La loi Joxe prévoit un renforcement des _____

Paragraphe 5
  7 Quelle est la seule industrie présente en Corse?
  8 Quels sont les secteurs de l'agriculture corse qui marchent le mieux?
  9 Quelle est la principale activité économique de l'île?

Paragraphe 6 et 7
  10 Quel est le nom du principal mouvement terroriste?
  11 Que réclame cette organisation?
  12 L'insécurité en Corse risque d'aggraver la mauvaise situation économique: expliquez pourquoi.

9 Exercice de vocabulaire
Cherchez dans le texte les mots qui signifient:
  1 une reprise (chapeau)
  2 prendre possession (paragr. 2)
  3 une personne qui travaille dans le service public (paragr. 3)
  4 indépendance (paragr. 4)
  5 reçoit (paragr. 5)
  6 illicite (paragr. 6)
  7 opinions (paragr. 7)
  8 investir (paragr. 7)

Conférence de Presse du FLNC

Plage, mer et soleil

10 Vos réactions
  1 Étant donné tout ce que vous savez maintenant sur la Corse est-ce une destination que vous considèreriez pour vos vacances. Pourquoi?
  2 Qu'est-ce que vous avez appris sur la Corse qui vous a le plus surpris?

▶ Activités orales et écrites

11 Dialogue: partir en vacances

👥 Étudiant A

Vous partez en vacances avez l'étudiant B. Vous voulez absolument aller en Corse et vous proposez de louer un bungalow dans la résidence A Colombina. L'étudiant B n'est pas d'accord ni pour aller en Corse ni pour le bungalow. Lisez la description de la résidence A Colombina et préparez tous les arguments pour essayer de le convaincre.

Étudiant B

Vous partez en vacances avez l'étudiant A qui veut absolument aller en Corse. Vous n'avez pas très envie d'y aller. L'étudiant A propose de louer un bungalow dans la résidence A Colombina. Vous lisez la description de la résidence et celle-ci ne vous plaît pas. Préparez les arguments nécessaires à la défense de votre point de vue et proposez autre chose.

A la fin de la conversation vous devez arriver à un compromis.
En fin d'activité chaque couple annoncera la décision.

12 Spot publicitaire

Utilisez les images du reportage télévisé comme support visuel à une publicité pour la Corse. Choisissez certaines images et rédigez un commentaire pour les accompagner. Ensuite présentez votre «spot publicitaire» aux autres étudiants.

13 Article de journal

Choisissez une région touristique européenne et sur le modèle du texte «Corse: sortir de la violence», écrivez quelques paragraphes pour la présenter. Vous pouvez reprendre les rubriques «L'histoire» et «L'économie», mais «Un statut particulier» et «Le terrorisme» sont plus spécifiques à la situation corse. Imaginez d'autres rubriques pour structurer votre texte.

Vocabulaire à retenir

la grève
l'attentat (m)
le malfaiteur
l'impôt (m)
le fonctionnaire (m, f)
l'organisation clandestine (f)
la prestation
une situation difficile à gérer
des plages épargnées par le béton (f)
des villages en préfabriqué (m)
«Bison Futé» (le service d'information routière)
étaler
accueillir
se bronzer
rentabiliser (un hôtel)
faire le plein
établir (une stratégie)
pratiquer (des prix, des tarifs)
réclamer
rendre difficile
remplir l'escarcelle (f)

SÉJOURS LOCATIONS

A COLOMBINA

PRÈS D'AJACCIO

SITUATION:
A 12 km d'Ajaccio entre les villages de Cuttoli et de Bastelicaccia, petite résidence dans le calme sauvage du maquis, à 15 mn des plages.

A VOTRE DISPOSITION:
Ensemble de 8 bungalows jumelés avec terrasses individuelles aménagées.
T 2/4 pers. (env. 50 m2 + terrasse): un grand séjour avec banquette-lit 2 personnes, une cuisine américaine (+ lave-linge), une chambre grand lit ou 2 lits. Salle de bains, wc.

Les animaux sont admis, sans supplément.

SPORTS, LOISIRS, SERVICES:
Tous sports nautiques et de plage à Porticcio ou Ajaccio. Tous commerces et restaurants au village de Bastelicaccia.

NOTRE AVIS:
Petit ensemble de construction très récente. Calme et détente assurés.

FORFAIT BATEAU (8 jours /7 nuits) NICE/MARSEILLE (BASE FAUTEUIL) + VOIT. PERS.		
	2 pers.	1.615
	3 pers.	1.245
	4 pes.	1.065

LOISIRS ET CULTURE ③

Ce dossier est consacré aux activités de loisirs des Français. Les pratiques de loisirs sont en constante évolution: certaines activités perdent leur intérêt alors que d'autres sont proposées. Souvent ces nouvelles activités sont «importées» par différents groupes culturels. D'autres parfois sont développées grâce à la technologie.

La stratégie du dossier: quelles sont vos réactions personnelles?

Dans ce dossier, nous vous proposons de réfléchir à vos réactions personnelles. En regardant les différentes activités qui figurent dans ces trois reportages, posez-vous ces deux questions: En quoi consiste cette activité de loisirs? Est-ce que cela correspond à mes goûts?

▶ Reportage télévisé 3A

📺 Le karaoké

1 Préparez-vous!

👥 1 Avec un partenaire, faites une liste de tout ce que vous savez sur le karaoké.

2 Faites une enquête en classe pour savoir si les affirmations suivantes sont vraies ou fausses:

a Tout le monde aimerait participer à une soirée karaoké.

b La moitié de la classe aurait peur de chanter sur scène devant des inconnus.

c La plupart de la classe chante faux.

d Tout le monde chante de temps en temps dans sa salle de bains.

2 Pour comprendre l'essentiel

Regardez le reportage et résumez son contenu essentiel en répondant aux questions suivantes:

1 **Qu'est-ce que** le karaoké?

2 **Qui** est-ce qui pratique le karaoké?

3 **Où** se pratique le karaoké?

3 Vérification

Trouvez les mots du reportage pour remplir les blancs:

Le karaoké c'est un appareil à _____(1) en play-back. Il consiste en un _____(2) et un _____(3) sur lequel défilent les paroles de la chanson. On choisit sa chanson dans un _____(4). Il suffit de monter sur scène et de _____(5) les paroles sur cet écran. Qu'on chante _____(6) ou _____(7), ça n'a pas d'importance. Le karaoké, c'est avant tout une _____ _____ (8)

catalogue	chanter	conviviale
juste	écran	faux
micro	ambiance	lire

4 Les témoins

Voici les «stars» du karaoké qui figurent dans ce reportage.

1

2

3

4

5

1 Indiquez la photo à laquelle correspond chaque description:

a Elles chantent comme si elles étaient sur scène à Bercy (la grande salle de spectacles à Paris).

b Ils ne sont pas très sûrs d'eux.

c Il a sans doute une plus grande expérience.

d Il trouve que chanter en groupe, c'est amusant.

e Pour elle, l'idée est d'être le meilleur groupe.

f Elle est venue chanter avec sa mère.

2 Indiquez qui a dit:

a C'est un défoulement.

b C'est marrant.

c On se prend un p'tit peu pour la star de la soirée.

d C'est bien, c'est bien.

5 Vos réactions

1 Parmi ces «stars» du karaoké, avec qui vous identifiez-vous le plus?

2 On qualifie le karaoké d'une «mode», c'est-à-dire quelque chose qui ne dure pas. Croyez-vous que le karaoké puisse durer? Pourquoi?

La chanson française: tradition et innovation

1 En France, la musique anglo-saxonne est omniprésente, largement diffusée par les médias et les grandes compagnies de disques. Cependant la chanson française connaît aujourd'hui un regain d'intérêt: environ 45% des achats de cassettes et de disques concernent les variétés françaises, contre 20% pour la musique anglo-saxonne. Qui sont donc les artistes les plus connus de la chanson française?

2 Édith Piaf, Jacques Brel et Georges Brassens – ce sont les «grands» de la chanson française qui ont dominé la période de l'après-guerre. Aujourd'hui, on écoute toujours des chansons comme «Je ne regrette rien» (Piaf), «Ne me quitte pas» (Brel) ou «L'Auvergnat» (Brassens). On les apprécie surtout pour la beauté du texte et la simplicité de la musique.

3 Au début des années 1960, la musique rock n'roll, interprétée surtout par Jean-Philippe Smet alias Johnny Halliday, connaît un immense succès auprès des jeunes. Johnny a commencé par imiter des chanteurs américains tels que Elvis Presley, mais petit à petit il a trouvé un style plus «français», en favorisant des rythmes plus doux et en faisant ressortir les paroles.

4 La chanson «pop» des années 1970 ne se distingue pas par l'originalité de ses paroles, mais des chanteurs comme Serge Gainsbourg, Maxime le Forestier et Yves Duteil ont continué la tradition de la chanson française en accordant toujours une importance au texte, souvent très poétique. Pour certains artistes, la chanson devient pendant cette période un véhicule d'expression sur les grands problèmes du monde. Ainsi Maxime le Forestier chante contre la guerre; Renaud évoque la vie de banlieue et l'aliénation des jeunes. Cette tendance s'affirme pendant les années 1980 où l'on prête de plus en plus attention aux paroles. Un exemple: les chansons de Jean-Jacques Goldman, «La Vie par procuration», «Là-bas» ou «Ta chance», qui portent un regard aigu sur la société contemporaine, connaissent un très grand succès en France vers la fin des années 1980.

5 En France comme ailleurs, la musique des années 1990 porte l'empreinte des récents progrès technologiques (instruments électroniques, manipulation des sons grâce à l'informatique). Parmi les artistes français les plus connus au début des années 1990 il faut compter Patrick Bruel, Patricia Kaas, Guesch Patti et des groupes tels que Rita Mitsuko, les Négresses Vertes et Mano Negra. Il faut noter aussi l'importance actuelle du rap, la musique des adolescents des banlieues, dont les interprètes français les plus connus sont MC Solaar et Tonton David.

▶ Texte

📖 La chanson française

6 Lecture rapide
Lisez rapidement le texte et choisissez pour chaque paragraphe un des titres ci-dessous:
a l'importance de la technologie
b une star du rock française
c la chanson française classique
d la chanson française se porte bien
e la chanson à message

7 Lecture approfondie
1 Les affirmations suivantes, sont-elles vraies ou fausses? Corrigez celles qui sont fausses.
   1 Les Français achètent plus de disques de chanteurs anglo-saxons que de chanteurs français.
   2 Jean-Philippe Smet a écrit «Ne me quitte pas».
   3 Serge Gainsbourg est un chanteur pop des années 1970.
   4 Dans les chansons de Maxime Le Forestier les paroles sont importantes.
   5 La musique des adolescents de banlieue, c'est le rap.
2 Qu'apprenez-vous dans ce texte sur les chanteurs suivants et leur chansons?
   ● Georges Brassens   ● Johnny Halliday
   ● Jean-Jacques Goldman   ● MC Solaar

8 Vos réactions?
1 Quand vous écoutez une chanson, quel est l'élément le plus important pour vous:
   a le texte   b la musique   c le rythme

2 D'après ce que vous venez de lire, quel chanteur français avez-vous envie de mieux connaître?

Le point sur la langue:

Relisez dans votre grammaire le chapitre sur **les verbes impersonnels**. «Il suffit de…» est un verbe impersonnel qui est très utile quand on veut insister sur le côté facile de quelque chose.

> **Il suffit d'**un micro.
> **Il suffit de** lire les paroles sur l'écran.

Contrôle

Répondez aux questions suivantes en utilisant «il suffit de…». Voici des idées:
mettre votre nom sur cette liste, appuyer sur le bouton «play», leur donner un peu d'eau, une heure, manger moins, regarder dans l'annuaire.
a Qu'est-ce que je fais pour regarder cette vidéo?
b Comment est-ce que je peux m'inscrire à un cours de danse?
c Mes plantes vertes sont tristes. Que faire?
d Je veux perdre quelques kilos. Qu'est-ce que je dois faire?
e Je dois voir Jean Simonet demain mais je ne connais pas son adresse: que faire?
f Combien de temps faut-il pour faire les courses?

▶ Activités orales et écrites

9 Présentation: mes chansons préférées

👥 Organisez dans votre classe de français une table ronde sur vos chansons préférées. Chacun apporte une cassette et fait écouter sa chanson préférée aux autres. Vous expliquez après la chanson pourquoi vous l'aimez et vous parlez du rôle de la musique dans votre vie.

Karaoké

BATEAU BLANC, 17, rue des Archives, 42 72 25 18. Karaoké, jeu., ven., sam. Cons. 45 F, rest. 150 F.
LE CAFÉ DE NEW YORK, 68, rue Mouffetard, 5e, 45 35 48 43. Bar. Rest. spéc. françaises.
CHORUS KARAOKÉ, 92, rue de Richelieu, 42 96 89 25. Une des meilleures amb. de Paris. Rest. env. 200 F. Bar consom. à partir de 50F.
CLIPP'DINER, 96, bd St Germain, 5e, 43 54 23 41. Tls 7/7. Menu 52 F. Cons. 15 à 25 F.
LE GRAND CAFÉ DE NEW YORK, 36, rue Linois, 15e, Beaugrenelle. 45 75 65 30. Spéc. italiennes le Karaoké le plus moderne d'Europe.
NEW-YORK–NEW-YORK STUDIO, 4, r. Halévy, 42 65 89 33/47 42 62 33. Le plus anc. karaoké de

Paris. Amb. assurée. Cons. à partir de 100 F.
PALAIS D'ASIE, 131, r. de Flandre, 19e, 40 35 35 36. Spéc. asiatiques, grande salle 400 couv. Amb. karaoké tls, anniv. banquets, env. 120 F.
PAUL SCARLETT'S, 7, av. Pte-Clichy, 42 26 78 13. Rest anim. scène. Danse ven., sam. M 100 F.
PLATEAU 26, 26, rue des Lombards, 4e, 48 87 10 75. w.e. 23h30 à l'aube. Dîner 155 F. Cons. à par. de 50 F.

L'Officiel des Spectacles

10 Guide

1 Pour bien comprendre ce guide, il faut deviner le sens des abréviations. En lisant, complétez cette liste:

cons. *consommation*	anim._____
rest. _____	M _____
spéc. _____	env. _____
amb. _____	anniv. _____
tls._____	à par. de _____

👥 2 Vous êtes à Paris avec trois amis. Vous cherchez dans *L'Officiel des Spectacles* un restaurant karaoké. Vous n'aimez pas trop la cuisine chinoise. L'un d'entre vous est végétarien. Personne n'a beaucoup d'argent. Sélectionnez les adresses qui pourraient convenir.

11 Dialogue: au téléphone

👥 **Étudiant A:** vous téléphonez au restaurant que vous avez sélectionné dans *L'Officiel des Spectacles* pour réserver une table pour quatre personnes. N'oubliez pas de vérifier:
- la cuisine proposée (plats végétariens?)
- s'il y a des menus à prix fixes (à quels prix?)
- le prix de la consommation (de la boisson)
- les heures d'ouverture
- l'adresse

Étudiant B: vous travaillez dans un restaurant karaoké. La personne qui téléphone a trouvé le nom de votre restaurant dans *L'Officiel des Spectacles*. Malheureusement vous devez expliquer que quelques erreurs se sont glissées dans votre listing (c'est à vous de décider lesquelles...). En notant la réservation n'oubliez pas de noter le nom et le numéro de téléphone du client.

12 Dépliant

🖋 Vous organisez pour un club francophone une soirée karaoké «à la française» où vous allez chanter des chansons françaises. Rédigez le dépliant que vous allez distribuer aux membres du club pour les encourager à venir.

13 Lettre

🖋 Lors d'un séjour à Paris, vous êtes allé dans un bar karaoké. Vous racontez l'expérience dans une lettre à un(e) ami(e) français(e). Complétez la lettre avec le récit de votre soirée karaoké. Modifiez le reste de la lettre si vous voulez.

Paris, le ....

Cher/Chère ....
Je t'écris de Paris où je passe une semaine chez Jean/Jeanne (Tu te souviens de lui/d'elle? Tu l'as rencontré(e) l'année dernière.). Tout se passe très bien, il fait beau etc. hier on est allé voir le Musée d'Orsay — extraordinaire! Et puis hier soir... devine! On est sortis avec des copains de Corinne chanter dans un bar karaoké!...............

Enfin, voilà! Star pour une nuit! Corinne parle déjà de s'acheter une de ces machines spéciales qui te permettent de faire du karaoké chez toi!
Bon courage pour tes examens. Je t'embrasse très fort.

Vocabulaire à retenir

la mode		juste
l'appareil (m)		faux
le micro	chanter	à tue-tête
l'écran (m)		sur scène
le rythme		dans sa salle de bains
l'ambiance conviviale (f)	diffuser	
	il suffit de...	
la musique anglo-saxonne	c'est un défoulement!	
	c'est marrant!	
les paroles (f)	un regain d'intérêt	
les plus connus		

Bercy: salle de spectacles à Paris

▶ Reportage télévisé 3B

📺 Le Solido: un cinéma 3D au Futuroscope

1 Préparez-vous!

1 Avez-vous déjà vu un film sur un écran géant ou sur un écran hémisphérique? Quelles étaient vos impressions?

2 Connaissez-vous le Futuroscope de Poitiers? C'est un parc d'attractions situé à la sortie de Poitiers: il est consacré à la technologie de l'image.

2 Pour comprendre l'essentiel

Regardez le reportage et résumez son contenu en répondant aux questions suivantes:

1 **Qu'est-ce que** le Solido?

2 **Qui** va au Solido?

3 **Pourquoi** va-t-on au Solido?

3 Description

1 Notez tout ce que vous apprenez sur le procédé du Solido concernant:

a l'écran

b les lunettes

c l'image que perçoit le spectateur

Pour vous aider, voici quelques-unes des expressions utilisées dans le reportage:

géant
hémisphérique
800 mètres carrés
englobe tout le champ de vision
à cristaux liquides
infrarouge
n'a plus de cadre

2 Maintenant, essayez d'expliquer dans le plus grand détail possible le procédé du Solido à partir du dessin et des mots qui suivent:

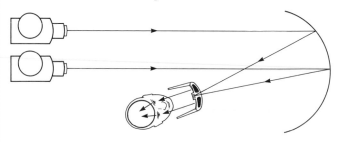

films	spectateur	une image
stéréo	lunettes	le cerveau
projeter	chaque œil	reconstituer
écran	alternativement	image en relief

4 Les témoins

Voici les spectateurs interrogés par le journaliste.

1

2

3

4

1 En général, la réaction des spectateurs est-elle:

a plutôt négative?

b indifférente?

c très enthousiaste?

2 Indiquez qui dit:

a C'est génial.

b Techniquement c'est vraiment très bien fait.

c C'est beau la technologie.

d On croirait que ce serait la réalité.

e On est tout près quoi!

3 Avez-vous remarqué la faute de grammaire du petit garçon (exercise 4-2-d)? Que devrait-il dire?

5 Vos réactions

👥 Voici quelques opinions sur le Solido. Êtes-vous du même avis? Parlez-en à un partenaire et formulez votre propre opinion.

● J'aimerais bien visiter le Solido – je suis curieuse.

● Le cinéma en trois dimensions – ce doit être génial!

● Le cinéma? Ça m'ennuie de toutes façons.

● Je ne vois pas l'intérêt d'un film en trois dimensions et je déteste porter des lunettes!

▶ Texte

📖 Les supermarchés du loisir

Les parcs de loisirs classiques comme Eurodisney et le Futuroscope sont menacés par un nouveau phénomène d'origine américaine: les supermarchés du loisir!

6 Lecture rapide

Lisez rapidement le texte pour savoir ce qu'est un «supermarché du loisir».

7 Lecture approfondie

1 Les parcs de loisirs Disney perdent de l'argent: pourquoi?
2 Décrivez les quatre salles de cinéma à Foxwoods.
3 Comment peut-on expliquer le succès des parcs comme le Cinetropolis?

8 Exercice de vocabulaire

Identifiez les expressions du texte qui correspondent aux suivantes:

1 un film d'environ cent minutes
2 grâce à des ordinateurs
3 la somme totale d'argent que gagne une entreprise
4 ce qui encourage le public à revenir régulièrement
5 ces parcs ne prennent pas beaucoup de place

9 Vos réactions

1 Parmi les quatre salles que propose le Cinetropolis de Foxwoods, laquelle vous intéresserait le plus?
2 Les «supermarchés du loisir» vont bientôt envahir l'Europe: serez-vous un futur «client fidèle» de ce genre de loisirs?

ÉTATS-UNIS • Technologie

LES SUPERMARCHÉS DU LOISIR

De nouveaux parcs de loisirs sont en passe de transformer les fêtes foraines et autres Disneyland en antiquités démodées. Bientôt, ils envahiront la France.

En moins de dix ans – et ce, sans tenir compte du désastre économique d'Eurodisney en France – la rentabilité des parcs de loisirs Walt Disney a baissé de moitié. Autrement dit, pour 100F investis, rapportant 25F chaque année, il y a dix ans, les parcs Disney ne rapportent plus que 12F.

Pourquoi? Entre autres, parce qu'une nouvelle génération de parcs de loisirs est venue les concurrencer: les parcs virtuels. L'idée est aussi simple qu'astucieuse. S'inspirant des salles de jeux vidéo (qui rapportent plus de trente milliards de francs par an à leurs propriétaires, outre Atlantique) plusieurs sociétés ont imaginé d'installer dans les supermarchés des salles de cinéma d'un nouveau type.

Quatre programmations

Exemple, Cinetropolis, qui a ouvert ses portes en janvier, à Foxwoods dans le Connecticut. Pour 150 millions de francs d'investissement, il a installé quatre salles de cinéma, regroupées autour d'un complexe commercial. Une salle propose des longs métrages sur écran géant (18m de haut!); la deuxième offre des attractions en réalité virtuelle (images obtenues par informatique); la troisième (qui se transforme le soir en discothèque) diffuse à longueur de journée des films sur écran circulaire (360°); quant à la dernière salle, baptisée «Turbo Tour», elle propose quatre minutes d'émotions extrêmes, à cent cinquante personnes en même temps, dans des simulateurs de vol d'avions de chasse 15 000 personnes y défilent chaque jour, apportant 210 millions de francs de chiffre d'affaires par an.

L'astuce repose sur le fait que les programmations sont renouvelées régulièrement, incitant le public à une grande fidélité (en moyenne cinq visites par an) pour des tarifs allant de 15 à 45F. De plus, le faible «encombrement» de ces parcs permet une implantation dans pratiquement toutes les villes... Bref, pourquoi investir 5 milliards de francs dans un parc de loisirs classique (type Eurodisney), qui devra attirer 12 millions de visiteurs pour générer des bénéfices, alors qu'on peut le remplacer par trente petits Cinetropolis dans des centres commerciaux?

D'ores et déjà, les plus grands spécialistes des effets spéciaux du cinéma hollywoodien, ainsi que les fabricants de jeux vidéo (entre autre Sega), s'apprêtent à «envahir» l'Europe, dès 1995. ■

Ph. Key

Les Clés de l'Actualité

▶ Activités orales et écrites

10 Discussion

👥 Vous allez passer un samedi soir avec un groupe d'amis. Qu'allez-vous faire?

a danser dans une discothèque
b aller voir un film au cinéma
c regarder la télévision
d aller à un cinéma spécial à écran géant
e passer la soirée dans un bar karaoké
f jouer à des jeux vidéo

En travaillant en petit groupe, classez ces activités par ordre de préférence. Ensuite comparez votre classement à ceux des autres groupes.

11 Présentation

✒ Pour un magazine de jeunes faites la critique d'un film que vous avez vu récemment. Voici quelques éléments à considérer dans la critique:

- l'histoire
- les acteurs
- la musique
- les personnages
- les décors
- les effets spéciaux
- l'humour
- la photographie

12 Débat: la Fondation Michel Ange

👥✒ Tous les ans la Fondation Michel Ange accorde une bourse de 500 000 francs français à un projet d'innovation ou de création. Cette année trois propositions ont été retenues... Les trois groupes de candidats doivent exposer et défendre leur projet devant la commission de la Fondation. Chaque exposé ne devra pas durer plus de cinq minutes...

La classe se divise en quatre groupes:

Le groupe «technologie»

Vous avez collaboré au développement du Solido au Futuroscope. Vous voulez réaliser maintenant des films pour ce genre de cinéma 3D et aussi développer la technologie nécessaire pour l'implantation de petits «Solidos» partout en France.

Le groupe «littérature»

Vous avez déjà édité trois romans «collectifs». Vous travaillez dans des collèges et des lycées où vous encouragez des jeunes en difficulté à s'exprimer en écrivant poèmes, nouvelles et romans. Vous voulez lancer un magazine littéraire national pour publier les textes de ces jeunes.

Le groupe «beaux arts»

Vous travaillez dans un grand musée des beaux arts à Paris. Vous essayez d'encourager plus de «gens ordinaires» à visiter les expositions de peinture et de sculpture. Vous voulez lancer un programme d'ateliers gratuits dans toutes les villes de France qui permettraient au grand public de mieux comprendre et mieux apprécier les œuvres d'art.

La commission

Vous représentez la Fondation Michel Ange. Vous êtes chargés d'examiner toutes les propositions. Vous prenez des notes en écoutant les exposés et vous posez des questions. Après les trois exposés, vous expliquez votre décision à la classe.

Vocabulaire à retenir

le parc d'attraction	à portée de main
l'écran (géant) (m)	c'est génial
le procédé	«c'est beau, la
la nouveauté	technologie»
le spectateur	envahir
le complexe commercial	rapporter
le chiffre d'affaires	concurrencer
le parc de loisirs	reconstituer
les jeux vidéo (m)	projeter
les effets spéciaux (m)	
les lunettes (f)	

▶ Reportage télévisé 3C

📺 Le rap au Festival de la Danse de Montpellier

1 Préparez-vous!

👥 1 Notez, avec un partenaire, tout ce que vous savez sur le rap.

2 Ce genre de musique vous plaît-il? Pourquoi?

3 Regardez ces deux images tirées du reportage que vous allez voir. Quelle image associez-vous le plus au rap? Expliquez votre choix.

1  2

2 Pour comprendre l'essentiel

Regardez le reportage et résumez son contenu essentiel en répondant aux questions suivantes:

1 **Quel est** le nom de ce groupe de danseurs rap?

2 **D'où** vient ce groupe?

3 **En quoi** ce groupe est-il différent d'autres groupes rap?

3 Vrai ou faux?

Parmi les affirmations suivantes, une seule est vraie. Corrigez les autres.

1 La MCR regroupe des danseurs de profession.

2 Ils ont un emploi du temps très chargé.

3 Ils répètent trois heures par semaine.

4 C'est la première fois qu'ils collaborent avec le Festival de la Danse.

4 Les images

Faites une liste de toutes les différentes images qu'on nous montre du groupe MCR. Quelle est l'image globale qu'on veut nous communiquer de ce groupe?

5 Les témoins

Indiquez la personne qui a prononcé les phrases suivantes. De qui ou de quoi parlait-elle?

1 L'expression artistique, danse ou musique est une bonne façon d'intégrer les jeunes en difficulté.

2 On a plus de sérieux, aussi ce qu'on a appris, c'est de se donner un but dans la vie, de s'imposer quelque chose.

3 Ils se décideront eux-mêmes en tant qu'adultes après pour ce qu'ils voudront faire.

6 Vos réactions

1 Mettez-vous à la place de ces jeunes danseurs. Imaginez les aspects positifs et négatifs de cette collaboration avec le Festival de la Danse.

2 A leur place, choisiriez-vous de devenir des professionnels? Pourquoi?

3 Croyez-vous que l'expression artistique soit une bonne façon d'intégrer les jeunes en difficulté?

Le groupe *MCR*

Nicarson le rappeur

1 Assis sur les marches d'un escalier des 4 000* à la Courneuve, Collette, Mohamed et Nicarson discutent bruyamment. «Ah non! j'y vais pas!» s'exclame Mohamed, 16 ans d'origine comorienne. Il n'a pas du tout envie de suivre son pote. Nicarson, lui, a 15 ans, il est d'origine haïtienne et a pécho une meuf l'autre soir, à une zulu partie (soirée rap). Seulement voilà, cette meuf habite à la «Source»* et les zulus de cette cité, explique Nicarson, sont un peu cailleras. Ils n'aiment pas du tout qu'on branche leurs meufs. Et se pointer chez eux sans raisons relève carrément de la provocation.

2 Ici, chaque cité a ses bandes. Elles sont fondées sur la musique ou la violence. «Aux 4 000, ajoute Nicarson, les keums sont branchés funk. C'est des beurs**, des reurtis qui volent dans le tromé pour la came. Alors que nous, on est zulus. Et les zulus, en principe, sont peace.» Ils connaissent tous la légende d'Afrika Bambaata, le fondateur de la nation zulu. Pendant les années 1970, Afrika était un chef de gang du Bronx à New York. Son gang ne comptait pas moins de dix mille personnes. En 1975, son ami Soulski tombe sous les balles d'une bande rivale. Bambaata n'a alors qu'un seul but: arrêter les tueries entre bandes rivales. Pour ce faire, il va se lancer à fond dans la danse, le rap et les graffitis... Le défi qu'il lance à la violence: se réaliser positivement.

3 Depuis qu'il anime une émission à Radio Beur, Nicarson s'est assagi. Cela fait huit mois qu'il ne galère plus, car il ne s'occupe que de son groupe rap «Alibi». Il a même laissé béton sa bande, «parce que la baston, ce n'est pas une vie, dit-il, surtout que la plupart du temps, on explosait pour des histoires de toy et de meufs.» Ce rap qu'il écoute depuis longtemps a réconcilié Nicarson avec la vie, avec lui-même. Il compose ses chansons, et son seul regret, c'est de ne plus tagger. «Des fois, j'en ai envie, surtout lorsque je vois un mur vierge. C'est si dur de résister... de ne pas mettre sa signature. Parce que sinon, tu n'existes plus dans la cité. Mais en même temps, le rap nous sauve de la délinquance. Dans mes chansons, j'essaie de faire passer un message sur la violence, sur le sida; mais surtout de s'en sortir, sortir d'ici...»

4 Nicarson est collégien, bien que le bahut ne le branche pas du tout. Il lui reste encore une année à faire avant de se consacrer exclusivement à la «ziquemu» comme il dit. Il rêve de connaître à son tour la célébrité. Après tout, le groupe «93 NTM» a commencé, lui aussi, à rapper sur les ondes de Radio Beur et de Radio Nova. Il est devenu le groupe rap le plus célèbre aujourd'hui. Tous les mercredis, Nicarson invite des jeunes rappeurs à s'exprimer en direct sur les ondes. Chacun vient avec son instrument et ses textes. Les auditeurs – nombreux – interviennent librement à l'antenne. L'émission est un peu décousue, un peu fouillis... mais les jeunes, eux, s'y retrouvent. Car elle leur offre deux heures d'expression libre, de délires... En attendant la gloire, Nicarson écrit lui aussi.

Je suis un revenant
Je suis jamais perdant
En toute situation étant toujours gagnant
Je suis un revenant
En abattant le temps
Avec les armes qui firent de moi un battant.

5 Les rappeurs viennent tous de banlieue bien sûr ou du 18e arrondissement. Nicarson en est l'archétype, d'autant que, venant des Caraïbes, il garde une fascination pour le pays de la culture rap: les États-Unis. Là-bas, on appelle le rap le hip hop. Un véritable mouvement qui englobe la tenue vestimentaire, la musique, la danse et l'art graphique. En somme, une façon de vivre.

Adapté de *Nés en banlieue* par Farid Aichoune

* Les 4000 et La Source sont des cités à la Courneuve, dans la banlieue parisienne.

** Un beur est un(e) jeune Français(e) dont les parents immigrés sont arabes.

▶ Texte

📖 Nicarson le rappeur

Comme vous venez de le voir dans le reportage télévisé, le rap est pour certains jeunes de la banlieue un moyen de «se donner un but dans la vie». C'est le cas de Nicarson, un jeune rappeur de la banlieue parisienne, dont le portrait figure dans le livre de Farid Aichoune *Nés en banlieue.*

7 Lecture rapide

Lisez rapidement ce texte pour identifier le paragraphe où il est question:
1 de la légende d'Afrika Bambaata
2 d'une conversation entre jeunes gens
3 de l'émission de radio de Nicarson
4 des changements survenus dans sa vie grâce au rap
5 de la culture rap
6 des aspirations de Nicarson

8 Lecture approfondie

Paragraphes 1 et 2
 1 Quelles sont les différences, selon Nicarson, entre la bande de la cité des 4 000 et son propre groupe qui est zulu?
 2 Qui est Afrika Bambaata et quel est son message?

Paragraphes 3 à 4
 3 Nicarson s'est assagi. Le verbe *s'assagir* est de la même famille que l'adjectif *sage.* Que signifie-t-il?
 4 Nicarson regrette une chose de son ancienne vie de bande: qu'est-ce que c'est?
 5 Selon Nicarson, pourquoi fait-on des tags?
 6 Après avoir terminé au collège, que veut-il faire?
 7 Décrivez l'émission de radio de Nicarson.
 8 Pourquoi est-ce un succès auprès des jeunes?

Paragraphe 5
 9 D'où vient le rap?
10 L'auteur parle d'une culture rap: que comprenez-vous par cette expression?

Texte entier
11 Lisez à nouveau ce texte et prenez des notes pour répondre à la question suivante: Quel rôle joue le rap dans la vie de Nicarson?

Le point sur la langue:

Vous avez certainement remarqué dans ce texte des exemples de français familier utilisé par les jeunes:

son pote	= son copain, son ami
se pointer	= arriver
a pécho une meuf	= a chopé une femme
chopé	= rencontré

L'expression «a pécho une meuf» est un exemple de «verlan». On crée de nouvelles expressions en prononçant des mots à l'envers.

Exercice de verlan!

Trouvez dans le texte le verlan des mots suivants:
a racaille (des gens violents, méprisables)
b mecs (des hommes)
c femme
d métro
e laisser tomber
f la musique

Petit lexique

le bahut	l'école
la baston	des bagarres
brancher	être intéressé par, en relation avec
la came	la drogue
la galère	une vie difficile, la déprime
galérer	mener une vie difficile, avoir des ennuis
tagger	faire du graffiti
le toy	tagger sur le tag d'un autre
des reutis (m)	des voleurs à la tire, pickpockets

► **Activités orales et écrites**

9 Dialogue: au téléphone

 Étudiant A

En vacances à Montpellier, vous voyez dans le programme du Festival de la Danse cette annonce pour un spectacle donné par la MCR. Vous téléphonez à l'Opéra-Comédie pour en savoir plus.

1 Vous vérifiez:
- les dates et l'heure de la représentation
- le prix des billets
- la longueur du spectacle
- que c'est le même groupe que celui que vous avez vu à la télévision

2 Vous réservez deux places.

Étudiant B

Vous travaillez à l'Opéra-Comédie de Montpellier. Une personne vous téléphone pour avoir des renseignements concernant le spectacle de la MCR et pour réserver des places. Lisez bien l'extrait du programme sur la MCR pour pouvoir répondre à ses questions.

N'oubliez pas:

1 de lui signaler qu'une troisième représentation par la MCR est prévue (à vous d'inventer la date et l'heure)

2 de lui donner une référence pour sa réservation (5 chiffres – à vous de l'inventer)

3 de lui expliquer qu'il faut envoyer le règlement pour les billets dans les trois jours suivant l'appel et qu'il faut indiquer la référence au dos du chèque.

Vocabulaire à retenir

la bande	intégrer
le verlan	s'exprimer
le rap	se donner un but dans la vie
la galère	se consacrer à
le pote	faire passer un message
la banlieue	
le spectacle	
l'émission (f)	
le concert	
la répétition	
la représentation	
l'emploi du temps surchargé (m)	
le bilan	
les jeunes en difficulté (m,f)	

---

jeune danse
montpellier

C'est dans le lieu le plus traditionnel de Montpellier, l'Opéra Comédie, que Montpellier Danse 94 a choisi de nous présenter les créations de ses plus jeunes chorégraphes. A suivre ...

 Mercredi 6 juillet
Jeudi 7 juillet

MCR
Notre passé n'est qu'une histoire de présent

CHORÉGRAPHIE: MCR DANSE COMPAGNIE   COMPOSITION SONORE: BAKELITE STUDIO

Déjà bien connue des montpelliérains, la MCR Danse Compagnie qui a eu l'occasion de travailler à plusieurs reprises avec Doug Elkins, choisit cette année l'aventure de la création. Jouant sur les temps du passé et du présent, le spectacle prend sa source dans la confrontation de la danse jazz avec celle de la break dance.

SPECTACLE CRÉÉ AVEC LE CONCOURS DU FONDS D'ACTION SOCIALE ET DE LA VILLE DE MONTPELLIER

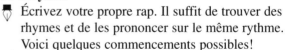 *Opéra Comédie 21h* TARIF UNIQUE **35F**

10 Interview

 1 Nicarson devient un rappeur célèbre. Vous l'interviewez pour un magazine de jeunes. Quelles questions allez-vous lui poser?

2 Travaillez à deux. Après avoir répété une fois, vous enregistrerez l'interview.
Étudiant A joue le rôle du journaliste.
Étudiant B joue le rôle de Nicarson.

3 Rédigez l'article consacré à Nicarson, star du rap.

11 Rhymes

Écrivez votre propre rap. Il suffit de trouver des rhymes et de les prononcer sur le même rythme. Voici quelques commencements possibles!

J'apprends le français
Tout' la journée c'est vrai...

J'suis sorti hier soir
Pour aller te voir...

Comment la France a-t-elle changé depuis 1965? Quelles sont les tendances qui s'affirment dans la société française?

La stratégie du dossier: médias différents, messages différents

Nous vous proposons de réfléchir au traitement de l'information. Dans ce dossier vous êtes invités à comparer ce que le reportage télévisé et le texte vous apprennent. Quel média – télévision ou presse – vous informe le mieux à votre avis?

▶ Reportage télévisé 4A

📺 Le rapport *Données Sociales 1993*

1 Préparez-vous!

Essayez de prédire les changements dont il sera question dans le reportage. Indiquez par + ou – ce qui selon vous est en progression depuis 1965 et ce qui est en diminution. Comparez ensuite avec les informations du reportage.

> 1 le nombre d'agriculteurs
> 2 le travail des femmes
> 3 la qualification professionnelle
> 4 le chômage
> 5 la consommation de vin
> 6 la consommation de pain
> 7 la consommation de pommes de terre
> 8 le taux de natalité
> 9 le nombre de personnes âgées

2 Vrai ou faux?

Retrouvez les vrais propos du journaliste. (Il y a trois phrases correctes.)

1 Autrefois c'était il y a seulement quarante ans, on se chauffait au charbon.
2 Madame travaillait peu.
3 les années 1980, une décennie où tout baisse: la qualification professionnelle, le travail des femmes, la compétitivité...
4 mais aussi le chômage: les principales catégories touchées sont les personnes du troisième et du quatrième âge.
5 des poches de pauvreté côtoient le niveau de vie moyen le plus élevé d'Europe
6 31% des Français sont propriétaires de leur logement principal
7 les changements touchent aussi les habitudes alimentaires

3 Conclusion

Que comprenez-vous par les expressions employées dans la conclusion du reportage?

a la dénatalité   c une longévité
b quatrième âge   d la retraite

Complétez le texte du journaliste avec ces mots:

Avec la ____(1), une ___ (2) hors pair: une personne sur cinq appartient désormais au troisième ou au _____(3) âge. De quoi alimenter les débats déjà houleux sur la santé et _____(4).

4 Vérification

Dans ce reportage, on présente des statistiques à l'état brut. Mais les statistiques, c'est nous! Dans les cas concrets présentés ci-dessous, les tendances générales établies par le rapport INSEE *Données Sociales 1993* sont-elles confirmées?

1 Yves Robert est fils d'agriculteur. Il a quitté la ferme de ses parents et habite maintenant dans une grande ville où il vient d'acheter sa propre maison individuelle.
2 Martine Leclerc a fait un diplôme de traductrice. Après dix ans de service pour une grande société import-export, elle a été licenciée il y a trois mois.
3 Sophie Lichet est étudiante. Elle habite une petite chambre de bonne à Paris. Depuis qu'elle a quitté le foyer familial, elle ne mange que du pain et des pommes de terre!
4 Fils de mineur, Gilles Lochard a 20 ans . Malgré son baccalauréat professionnel, il n'a pas réussi à trouver du travail.

Le point sur la langue

Révisez dans votre grammaire le temps de **l'imparfait**. Notez son emploi dans ces phrases:

> Autrefois on **écrivait** à la plume.
> On **se chauffait** au bois.
> La France **était** encore un pays d'agriculteurs.

Contrôle

Par exemple:

1 Autrefois on **regardait** moins de télévision.

Imaginez d'autres phrases à l'imparfait pour parler des différences entre autrefois et aujourd'hui.

2   **3**   **4**   **5**

▶ Texte

📖 Statistiques INSEE

5 Lecture rapide

1 Lisez d'abord le chapeau de l'article. D'après le journaliste, le portrait de la société française peint par le rapport de l'INSEE est-il…

    a globalement positif?

    b un peu inquiétant?

    c très négatif?

2 Vérifiez que vous comprenez bien les expressions suivantes. Ensuite lisez rapidement le texte pour trouver le paragraphe où chaque expression est utilisée:

    a les équipements sanitaires

    b l'espérance de vie des Français

    c la crise économique

    d les conditions de travail

    e le chômage

    f l'insertion des jeunes

    g l'emploi précaire

    h les HLM de banlieue

    i le RMI

    j de l'allongement de la durée de vie

3 Dans quel(s) paragraphe(s) parle-t-on:

    a des tendances plutôt positives du rapport?

    b des tendances plutôt négatives?

6 Lecture approfondie

Paragraphe 1

1 Résumez les tendances positives mentionnées dans ce paragraphe en complétant les phrases suivantes:

    a Les logements sont mieux _____.

    b Le _____ est parmi les plus élevés d'Europe.

    c On dépense plus sur _____.

    d On vivra plus _____.

    e Les jeunes sont mieux _____.

    f Dans les usines il y a moins d'_____.

Paragraphe 3

2 Quelque chose arrive pour la première fois aux générations actuelles: qu'est-ce que c'est?

Paragraphe 4

3 Qu'est-ce qui constitue «un des problèmes majeurs de notre société»?

4 Que comprenez-vous par le mot «exclusion»?

5 Quelles sont les catégories sociales menacées par l'exclusion?

Paragraphe 5

6 Ce paragraphe met-il l'accent sur:

    a des exemples qui montrent l'amélioration de la qualité de la vie?

    b les mauvaises conditions matérielles d'une partie de la population?

    c l'opinion de la journaliste concernant l'union libre et le divorce?

Paragraphe 6

7 Ce dernier paragraphe commence par: «Enfin l'avenir s'assombrit.» Cette phrase annonce-t-elle une conclusion optimiste ou pessimiste?

8 Expliquez les conséquences inquiétantes des deux phénomènes sociaux identifiés dans ce paragraphe.

7 Exercices de vocabulaire

1 Trouvez le nom ou le verbe qui manque pour remplir ce tableau. La plupart des expressions se trouvent dans le texte.

1	chuter	*une chute*
2	(v.) _____	une diminution
3	baisser	(n.) _____
4	(v.) _____	une aggravation
5	(v.) _____	une augmentation
6	monter	(n.) _____
7	(v.) _____	des progrès
8	améliorer	(n.) _____

2 Regardez les graphiques tirés du journal *Libération*. Complétez les phrases suivantes avec des mots du tableau.

    1 Entre 1960 et 1991, la France a connu une m___ des divorces et une ch___ de la fécondité.

    2 Le nombre de femmes au travail en France a beaucoup p___ au cours des trente dernières années.

    3 Le nombre d'hommes actifs est resté stable depuis 1982, mais le chômage a a___ pendant cette même période.

    4 Lors des trente dernières années, il y a eu une nette a___ dans l'équipement sanitaire des logements en France.

    5 La consommation de vin a d___ entre 1965 et 1989 et la consommation de sucre a également b_____.

8 Comparaison des médias

1 Comparez maintenant le contenu de cet article avec le contenu du reportage télévisé. Identifiez les informations:

    a qui sont traitées dans le reportage télévisé et dans l'article

    b qui ne sont traitées que dans le reportage télévisé

    c qui ne sont traitées que dans l'article

2 Quelles différences apparaissent entre un reportage télévisé et un article dans un journal? Qu'ajoutent les images?

STATISTIQUES INSEE

L'INSEE a mis à plat ses statistiques («Données sociales») sur le Français d'aujourd'hui, son logement, ses enfants, son travail, sa cuisine et sa longévité. Un portrait vérité pas toujours rassurant.

1 Depuis l'arrivée à l'âge adulte des enfants du baby-boom, jamais la France n'avait connu de tels bouleversements. Plus de liberté, avec une montée en flèche des unions libres, des divorces et du travail des femmes. Plus de confort et de moyens, avec des logements enfin dotés d'équipements sanitaires (68% de satisfaits) et un niveau de vie moyen parmi les plus élevés d'Europe. Plus de chance de vivre bien et longtemps, avec des dépenses de santé multipliées par trois en quarante ans et une espérance de vie record pour les Françaises (81 ans), championnes d'Europe. Plus de jeunes dans les lycées et les universités, plus de diplômés dans les entreprises et moins d'ouvriers dans les usines.

2 La douce France, brossée par le rapport triennal de l'INSEE, *Données Sociales*, dont les statistiques balaient cinquante ans de notre histoire, n'est cependant pas sans aspérités.

3 La crise économique est venue perturber les belles prévisions que le progrès laissait espérer. Pour la première fois, les générations actuelles ne sont pas assurées de voir leur sort s'améliorer par rapport à celui de leurs parents. Non seulement les conditions de travail sont perçues comme plus contraignantes et plus stressantes, mais le chômage aggrave les inégalités sociales que l'État n'arrive plus à corriger.

4 L'insertion des jeunes, notamment chez les moins qualifiés, constitue un des problèmes majeurs de notre société et un enjeu pour l'an 2 000. La discrimination entre filles et garçons s'accentue. Les femmes et les étrangers sont les premiers menacés par l'exclusion. C'est le retour de l'emploi précaire et fragmenté.

5 Dans un climat général placé sous le signe du progrès et de l'amélioration de la qualité de vie, des poches de pauvreté ressurgissent. Les taudis et les bidonvilles de naguère ont laissé place aux HLM de banlieue en perdition. A la liberté des mœurs répond la solitude des enfants privés d'un de leurs parents (15% des moins de 19 ans) et les difficultés matérielles des femmes élevant seules leurs enfants. La mise en place du RMI a servi de révélateur aux difficultés rencontrées par près de 2% de la population.

6 Enfin l'avenir s'assombrit : la chute du nombre des naissances et de l'allongement de la durée de vie va doubler le poids des inactifs remettant en question l'ensemble de notre système de protection sociale.

Le Parisien, 19 avril 1993, Joëlle Frasnetti

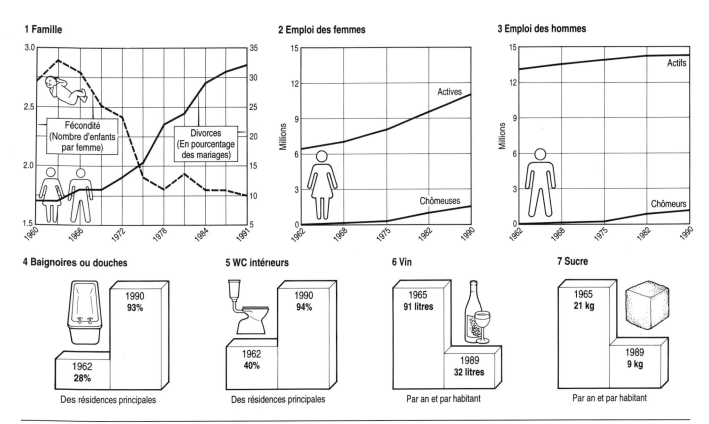

1 Famille — Fécondité (Nombre d'enfants par femme) — Divorces (En pourcentage des mariages)

2 Emploi des femmes — Millions — Actives — Chômeuses

3 Emploi des hommes — Millions — Actifs — Chômeurs

4 Baignoires ou douches — 1990 93% — 1962 28% — Des résidences principales

5 WC intérieurs — 1990 94% — 1962 40% — Des résidences principales

6 Vin — 1965 91 litres — 1989 32 litres — Par an et par habitant

7 Sucre — 1965 21 kg — 1989 9 kg — Par an et par habitant

▶ Activités orales et écrites

9 Présentation

Vous travaillez pour *Le Parisien*. Le rédacteur en chef vous demande d'illustrer l'article sur le rapport *Données Sociales 1993*. Décrivez la photo que vous proposeriez.

10 Reportage

Vous travaillez pour *Le Journal de 20h* de TF1. On vous demande de préparer un reportage TV qui présente une personne dont la vie illustre l'une des tendances identifiées par le rapport INSEE.

1 Faites le plan de votre reportage en indiquant les images que vous allez montrer.
2 Rédigez le commentaire du journaliste et préparez les questions que vous allez poser.
3 Filmez votre reportage ou présentez-le par écrit.

11 Article de journal

Imaginez le futur! Quel portrait de la France sera livré par le rapport *Données Sociales 2 000*? Rédigez un court article sur le modèle du *Parisien* dans lequel vous résumez les changements survenus entre 1993 et l'an 2 000.

Vocabulaire à retenir

le niveau de vie moyen	le taux de natalité
le chômage	la dénatalité
le portrait de la France	la longévité
le chiffre	l'exclusion (f)
la donnée	l'emploi (m)
la mutation	la durée de vie
la crise économique	la montée en flèche
le sort	le logement
l'insertion des jeunes (f)	s'accélérer
le problème majeur	toucher
la mise en place	précaire
la qualification professionnelle	
les inégalités sociales (f)	
les habitudes alimentaires (f)	
des dépenses de santé (f)	

▶ Reportage télévisé 4B

📺 La transformation de l'agriculture française

1 Préparez-vous!

A votre avis, quel est le pourcentage (25% ou 50%) des agriculteurs français qui habitent:

a en ville
b dans une ferme en pleine campagne
c dans un village à la périphérie de la ville

La réponse est dans l'introduction du présentateur TF1.

2 Pour comprendre l'essentiel

Regardez le reportage et répondez aux questions suivantes:

1 James Robert

Attention! Le journaliste se trompe au début du reportage en parlant de Didier Renard, alors que c'est de James Robert dont il s'agit.

a **Où** habite-t-il?
b **Est-il** marié?
c **Correspond-il** à l'image traditionnelle de l'exploitant agricole? **Pourquoi**?

2 Didier et Sophie Renard

a **Où** habitent-ils?
b **Que fait-elle** dans la vie?
c **Correspond-elle** à l'image traditionelle d'une femme agriculteur? **Pourquoi**?

3 Les témoins

Indiquez les personnes qui ont prononcé les phrases suivantes. De quoi parlaient-elles exactement?

1 J'ai adapté mes productions à cette petite difficulté.
2 Ça fait un équilibre pour moi.
3 Il y a une trentaine d'années il n'y avait rien du tout.
4 J'ai voulu garder mon indépendance.

4 Vérification

Trouvez les mots pour remplir les blancs:

James Robert est agriculteur. Il cultive _____(1) et vit avec sa femme dans un quartier au nord de ___(2). Sa femme travaille dans _____(3) en ville. Didier Renard est _____(4); sa femme aussi travaille en ville. Ils habitent dans un village _____(5) d'une ville. Ce sont des exemples qui montrent comment en trente ans le _____(6) de l'agriculture française a changé. Autrefois, les agriculteurs _____(7) à la ferme en _____(8) campagne. Aujourd'hui un paysan sur ____(9) vit à la ville. Autrefois les femmes d'agriculteurs _____(10) leur mari à la ferme. Maintenant elles sont _____(11) à exercer un travail indépendant en ville.

18%	visage	aidaient
habitaient	Tours	des céréales
une usine	pleine	à la périphérie
maraîcher	quatre	

5 Exercice de vocabulaire: chassez l'intrus!

Cherchez le mot qui n'appartient pas au groupe:

1 orge, citadin, blé, colza,
2 paysan, exploitant agricole, agriculteur, chauffeur
3 maraîcher, employé de banque, agriculteur, épouse
4 ville, village, usine, quartier

6 Vos réactions

Si vous aviez le choix, où préféreriez-vous habiter:
● en pleine campagne?
● dans un village à la périphérie de la ville?
● en ville?

Faites une liste des avantages et des inconvénients de chaque situation.

▶ **Texte**

📖 **Paysans: des champs à la ville**

7 Lecture rapide

1 Dans le chapeau de ce texte, le journaliste cite deux statistiques. Lesquelles?

2 Quelles conclusions concernant l'agriculture française pouvez-vous tirer de ces statistiques?

3 Que signifie un «exode rural»?

4 Lisez rapidement l'article pour repérer les paragraphes qui expliquent:

  a pourquoi les paysans vont manifester à Paris

  b pourquoi les agriculteurs sont de plus en plus «citadins»

  c comment la formation et le travail des agriculteurs ont changé

8 Lecture approfondie

Relisez le texte plus en profondeur et répondez aux questions a, b and c ci-dessus (7.4).

9 Exercice de vocabulaire

Trouvez les phrases du texte correspondantes:

1 Les agriculteurs font face à de gros problèmes financiers.

2 En trente ans le nombre d'agriculteurs a diminué de 75%.

3 La proportion d'agriculteurs dans la population active est de moins de 5%.

4 Une enquête récente a révélé l'existence d'un exode rural.

5 Ce changement résulte de l'extension et de la multiplication des zones urbaines.

6 Les agriculteurs sont de plus en plus nombreux à avoir une formation.

7 Grâce à ces changements, il y a de fortes chances pour que les agriculteurs puissent retrouver un rôle économique important.

10 Comparaison des médias

Comparez le reportage télévisé et cet article. Quels sont les éléments communs? Quelles informations complémentaires sont fournies par le texte? Lequel avez-vous trouvé le plus intéressant? Comment préférez-vous vous informer, par la presse ou par la télévision?

▶ PAYSANS: DES CHAMPS A LA VILLE

Le monde rural vit une profonde mutation. En trente ans la population agricole est passée de quatre millions à un million. Aujourd'hui, trois agriculteurs sur quatre vivent à proximité ou à l'intérieur des villes. L'Institut National de la Statistique (INSEE) a dressé le portrait de ces nouveaux paysans.

1 La coordination rurale a appelé les paysans à bloquer Paris le 15 septembre. Ceux-ci se trouvent en effet confrontés à de graves difficultés économiques et à une chute spectaculaire de leur nombre. En trente ans, la population agricole est passée de quatre millions à un million. Les agriculteurs représentent aujourd'hui moins de 5% de la population active.

Un «mini» exode rural

2 Dans une enquête publiée au mois d'août, l'Institut National de la Statistique et des Études Économiques (INSEE) constate un mini exode rural. Les trois-quarts des agriculteurs vivent aujourd'hui à la périphérie des villes ou même en ville. «Longtemps, la confusion entre agriculteurs et ruraux a paru aussi naturelle que l'opposition entre la ville et les champs. La quasi-totalité des agriculteurs habitait hors des villes.» Mais depuis une trentaine d'années cette singularité agricole est devenue moins nette. Cette évolution tient d'abord à l'extension et à la multiplication des villes. Entre 1968 et 1990, le nombre de communes urbaines a augmenté d'un tiers. Par ailleurs, la plus grande facilité des déplacements quotidiens a permis de combiner le travail aux champs et les commodités de l'habitat en ville.

3 Les agriculteurs ont les mêmes besoins en services (écoles, poste, commerces...) que tout le monde. Or, en raison de la désertification des campagnes, ces services sont réduits ou inexistants, faute d'habitants. D'autre part les épouses d'agriculteurs exercent de plus en plus souvent une profession extérieure (50% sont employées de bureau, 20% sont cadres et 14% ouvrières...) et ont donc également besoin de se rapprocher des centres d'activité urbains.

4 Les chefs d'exploitation, eux aussi, sont souvent tentés d'exercer un autre métier, à temps partiel (par exemple, ouvrier). Les activités para-agricoles se multiplient: les plus pratiquées sont la vente directe de produits, comme le vin, ou la restauration et l'hébergement à la ferme.

5 Pluriactifs, les agriculteurs sont également mieux formés. La majorité des moins de 35 ans possède un diplôme d'études secondaires courtes (BEP, CAP, BEPC...) et un sur cinq, le bac ou un diplôme supérieur. La formation agricole se généralise. Alors que 90% des agriculteurs de 50 ans et plus n'avaient reçu aucune formation agricole scolaire, 65% des moins de 35 ans ont suivi des études agricoles, le plus souvent secondaires.

6 Plus chefs d'entreprise qu'agriculteurs, ces jeunes diplômés utilisent des méthodes très modernes de production (salles de traite automatique, tracteurs de forte puissance) et de gestion (ils travaillent sur informatique). Cette évolution permettra peut-être aux paysans de demain de retrouver une place de choix dans l'économie française.

Emmanuelle Haggai, *Les Clés de l'Actualité*, 9–15 septembre 1993

▶ Activités orales

11 Discussion: la ville ou la campagne?

👥 Depuis dix ans la famille Leclerc habite dans un appartement trois pièces au centre de Nantes. Mais Madame Leclerc rêve de déménager à la campagne au petit village de St Aubin...

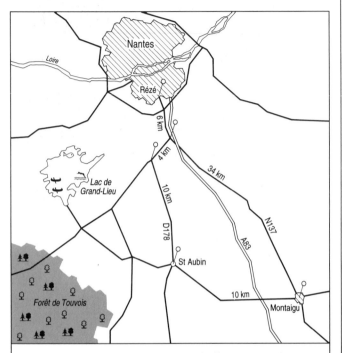

Nantes: Pop. 250 000, 20 cinémas, 400 restaurants, 8 musées, 9 centres sportifs, 10 théâtres.

St Aubin: Pop. 836, 1 pharmacie, 1 église, 1 boulangerie/épicerie, 1 café, 2 bus par jour. Le lycée le plus proche ainsi que la poste se trouvent à Montaigu.

Chaque étudiant choisit un rôle et prépare ses arguments pour ou contre le déménagement. Ensuite, chaque personne expose son point de vue. Le but de la discussion est d'aboutir à une solution acceptable par tous les trois.

Madame Leclerc

Vous travaillez depuis vingt ans comme professeur de biologie dans un lycée. Vous en avez assez... on vous a proposé un poste à mi-temps dans un lycée agricole à Montaigu. Vous avez envie d'accepter. Vous savez qu'à St Aubin on peut trouver de belles maisons avec jardin pour le même prix qu'un appartement à Nantes. Vous rêvez de vous consacrer au jardinage.

Monsieur Leclerc

Vous êtes responsable du service technique dans une usine qui se trouve à Rézé au sud de Nantes. Parisien d'origine, vous aimez bien la ville de Nantes. Vous êtes passionné de photo et de cinéma. Vous n'avez pas trop envie de déménager, mais pourquoi pas?

Jean(ne) Leclerc

Vous avez 16 ans. Vous ne voulez pas déménager à la campagne. Nantes vous plaît. Vous y avez beaucoup d'amis, vous sortez beaucoup.

12 Discussion: la campagne ou la ville?

👥 La famille Lebon habite à St Aubin et considère un déménagement à Nantes.

Chaque étudiant choisit un rôle et prépare ses arguments pour ou contre le déménagement. Ensuite chaque personne expose son point de vue. Le but de la discussion est d'aboutir à une solution acceptable par tous les trois.

Madame Lebon

Vous travaillez comme pharmacienne dans la pharmacie de St Aubin. Vous aimez beaucoup la vie à la campagne, mais il est de plus en plus difficile de rentabiliser la pharmacie. Vous êtes sûre de pouvoir trouver un emploi intéressant dans une pharmacie ou un supermarché à Nantes.

Monsieur Lebon

Vous êtes agriculteur. Vous cultivez des céréales. Vous êtes très attaché à la ferme familiale. Votre famille vit à St Aubin depuis sept générations.

Jean(ne) Lebon

Vous en avez assez de la campagne! Vous voulez déménager plus près de Nantes. Il n'y a rien à faire à St Aubin. Vous n'aimez pas toujours demander à vos parents de faire le taxi: vous voulez être un peu plus indépendant(e) et mener une vie plus stimulante.

Vocabulaire à retenir

l'épouse (f)	combiner
le maraîcher	cultiver
l'agriculteur (m)	se généraliser
l'enquête (f)	exercer une profession
le paysan	en pleine campagne
la ferme familiale	à la périphérie de la ville
l'exploitation (f)	être confronté à de graves
la formation	difficultés
l'équilibre (m)	citadin
la désertification	
la chute spectaculaire	
la population active	
l'exode rural (m)	
les déplacements (m)	

▶ Reportage télévisé 4C

📺 La dernière mine de fer

1 Préparez-vous!
1 Que signifie le mot «la sidérurgie»?
2 Dans quelles régions françaises trouve-t-on les industries sidérurgiques?
3 A votre avis, ces industries sont-elles en expansion ou en déclin?

2 Pour comprendre l'essentiel
Voici trois photos tirées du reportage télévisé.
Regardez le reportage et répondez aux questions.

1

2

3

1 **Que se passe-t-il** sur cette photo?
2 Cette image appartient désormais au passé: expliquez **pourquoi**.
3 **Que font** maintenant ces hommes dans la vie?

3 Expressions-clé
1 Vérifiez le sens des expressions de gauche en indiquant leur équivalent dans la colonne de droite.

1 la minette lorraine	**a** les mineurs de minerai de fer
2 les gueules jaunes	**b** l'usine où l'on traite le minerai
3 peu rentable	**c** du minerai de fer
4 un haut fourneau	**d** sans intérêt financier
5 remise en question	**e** être obligé de changer de métier
6 se reconvertir	**f** obligé de se poser des questions

2 En regardant le reportage télévisé, repérez les expressions suivantes, puis répondez aux questions.
1 peu rentable: qu'est-ce qui est jugé peu rentable et pourquoi?
2 remise en question: qui se voit remise en question et pourquoi?
3 se reconvertir: qui doit se reconvertir?

4 Les témoins
Voici les quatre personnes interviewées dans ce reportage.

1

2

3

4

1 Identifiez la personne qui dit:
 a J'ai mal au cœur.
 b C'est fini, c'est fini.
 c La mine, c'était une famille.
 d Pour le moment la page n'est pas tournée.
 e Ça me fait mal, vous savez.
 f Un chômeur de plus, c'est tout!
2 Identifiez la personne qui:
 a exprime sa résignation
 b refuse de céder, refuse le pessimisme
 c regrette le passé
 d exprime sa peine et sa tristesse
3 Jean Markun est représentant CGT. Que signifie CGT?
4 A votre avis, l'attitude du journaliste envers les mineurs et leur communauté est-elle positive ou négative?

5 Vérification
Dans l'article suivant, vous remarquerez sept erreurs dans les faits reportés. Corrigez-les!

La fin d'une époque
La dernière mine de fer exploitée par la France vient de fermer à Moyeuvre. C'est dans cette ville, située près de Dunkerque, qu'on a commencé l'exploitation de la fameuse minette lorraine au dix-huitième siècle. L'année 1950 marque le déclin des mines de fer en Lorraine avec la fermeture de la mine de Trieux. A cette époque, on comptait plus de soixante mille mineurs en activité. Aujourd'hui, ils ne sont que cinquante à travailler la mine de Moyeuvre. Ces dernières années le déclin s'est accéléré à cause de l'importation de minerai de Mauritanie et du Mexique. Ces minerais sont moins riches en fer, mais plus faciles à exploiter. Face à cette concurrence, la minette lorraine n'est plus rentable. Aujourd'hui à Hayange, les mineurs ont protesté en bloquant l'autoroute A4. Mais leur action ne changera rien. C'est la fin d'une époque!

LA «MINETTE» SACRIFIÉE

Les Lorrains n'iront plus à la mine

A Moyeuvre, l'exploitation de la dernière mine de fer de Lorraine s'arrêtera à la fin du mois de juillet.

Dans les vestiaires de la mine à Moyeuvre, c'est la désolation. «On nous a fixés ici depuis des générations, et maintenant on nous dit de foutre le camp. Pour aller où? Pour faire quoi?»

Nancy

IL est 5h 30. René porte le mégaphone à sa bouche. Un geste mille fois répété depuis qu'il s'est lancé à corps perdu dans la bataille syndicale. Cette fois, l'heure est grave. Il s'agit de maintenir la pression, d'entretenir une colère émoussée par des années de doutes entretenus et de promesses non tenues. Car le glas a sonné pour le site de Moyeuvre, berceau de l'histoire qui a uni pour plusieurs générations la Lorraine et l'acier.

La dernière mine en activité, exploitée depuis 1565, fermera ses portes fin juillet, la direction de Lormines, filiale d'Usinor-Sacilor, l'a confirmé hier. La minette, minerai baptisé ainsi pour sa faible teneur en fer, n'a pas résisté à la stratégie du groupe Usinor-Sacilor de passer au «tout minerai exotique», importé du Brésil et d'Australie, dont la teneur en fer est deux fois supérieure.

«On nous dit que le minerai lorrain n'est pas bon. Si c'est vrai, il faut faire attention : la tour Eiffel va s'effondrer!» lance un militant CGT, assis, sur fond de bruit de machine à café, dans le local syndical.

Soixante mètres sous terre

Le jour se lève et, dans la cour, les mineurs, comme des ombres, prennent la direction du vestiaire. Dernière étape avant la descente dans les galeries, à 60m sous terre. Ils sont trois cent cinquante à travailler encore ici.

«Tout le monde s'intéresse à nous pour le folklore et personne ne prend vraiment au sérieux nos problèmes», s'insurge René. L'heure matinale et la lumière blanche des néons accentuent la pâleur des visages.

Planté dans les vestiaires au milieu des armoires métalliques, le délégué syndical pourfend «ceux qui veulent [leur] faire la peau». Assis sur les bancs, les mineurs du poste du matin acquiescent. «On nous a fixés ici depuis plusieurs générations; on nous a incités à acheter et, maintenant, on nous dit de foutre le camp. Pour aller où? Pour faire quoi?» lance Nicolas, 37 ans.

Savino, casque impeccable et moustache soignée, a accepté une proposition d'agent de sécurité dans une société du Grand Duché du Luxembourg. D'autres vont devenir gardiens d'immeuble, chauffeurs de taxi... «Ça fait un siècle qu'on se bat pour avoir des salaires corrects dans la mine, et maintenant on va gagner 5 000F, comme des jeunes qui débutent, alors qu'un gars de l'abattage fait 9 000F», explique René.

Nicolas, lui, est amer : «On nous abandonne à notre sort avec nos maladies pulmonaires et nos lombaires en compote.»

Pierre Roeder, *Le Parisien*, 23 juin 1993

▶ Texte

📖 Les Lorrains n'iront plus à la mine

6 Lecture rapide

Étudiez le titre, le chapeau et la photo de cet article.

1 Décrivez la photo. Où se trouvent ces hommes? Quelle est leur attitude? Que ressentent-ils?

2 Qu'est-ce qui explique l'attitude des hommes dans la photo? Pour vérifiez votre réponse, parcourez rapidement le deuxième paragraphe.

3 Étant donné la photo qui l'accompagne, cet article serait-il plutôt centré sur a, b ou c?

    a une justification de la fermeture de la mine

    b les réactions des mineurs et leurs syndicats

    c une analyse des problèmes économiques lorrains

4 Parcourez l'article pour vérifier votre réponse.

7 Lecture approfondie

1 Lisez le texte en entier et faites la liste des personnes interrogées. Pour chacune d'entre elles, notez ce que vous apprenez sur elles et résumez leurs réactions à la fermeture de la mine.

2 Pour chacun des exemples suivants expliquez l'impression que le journaliste cherche à vous communiquer de la mine et des mineurs.

    a Il est *5h30*. René porte *le mégaphone* à sa bouche. *Un geste mille fois répété…*

    b … sur fond de bruit de *machine à café* dans le local syndical

    c Le jour se lève et dans la cour les mineurs, *comme des ombres…*

    d L'heure matinale et *la lumière blanche des néons* accentue *la paleur des visages*.

    e Planté dans les vestiaires au milieu *des armoires métalliques…*

    f Savino, *casque impeccable et moustache soignée*

3 A votre avis, le journaliste est-il favorable ou défavorable aux mineurs de Moyeuvre? Justifiez votre réponse.

8 Exercice de vocabulaire

Cherchez l'équivalent des expressions suivantes dans la liste du bas.

1 il s'est lancé *à corps perdu* dans la bataille syndicale

2 une colère *émoussée*

3 *le glas a sonné* pour le site de Moyeuvre

4 ceux qui veulent nous *faire la peau**

5 on nous dit de *foutre le camp**

6 nos lombaires *en compote**

    a gâcher la vie

    b avec passion et énergie

    c la fin est annoncée

    d blessés

    e partir

    f devenue moins intense

(* Ces trois expressions relèvent d'un registre plutôt familier)

▶ Activités orales et écrites

9 Discussion

👥 Lorsqu'une mine ou une usine ferme, c'est toute la communauté qui, comme on dit dans le reportage télévisé «souffre de se voir remise en question». Avec un partenaire, faites une liste de toutes les conséquences éventuelles qu'entraîne une telle fermeture, et des mesures à prendre pour donner un nouveau dynamisme à une région en déclin. Si possible, appuyez-vous sur des exemples concrets dont vous avez entendu parler.

10 Interview

👥 1 Lors d'une visite en France, vous avez l'occasion d'interviewer une vieille dame de 80 ans qui habite à Moyeuvre. Vous voulez savoir comment la ville était avant la guerre quand presque tout le monde travaillait à la mine. Faites la liste des questions que vous aimeriez lui poser.

2 Travaillez à deux pour réaliser cette interview.
Étudiant A joue le rôle de la vieille dame.
Étudiant B pose les questions.

11 Reportage

✎ Imaginez un reportage télévisé sur une ville ou un village où l'on annonce la fermeture de l'activité économique principale. Réfléchissez surtout aux personnes que vous allez interroger et à l'attitude que prendra le journaliste-reporter face à l'événement. Rédigez, puis présentez votre reportage.

12 Enquête: le chômage

Renseignez-vous pour savoir quelles régions de France sont actuellement les plus touchées par le chômage et pour quelles raisons.

Vocabulaire à retenir

la sidérurgie	peu rentable
la concurrence	plus riche en fer
la fin d'une époque	la remise en question
la teneur	avoir mal au cœur
le vestiaire	partir en retraite
le sort	en activité
le minerai de fer	la page n'est pas tournée
se reconvertir	le glas a sonné
déverser	le salaire correct
amer	prendre quelque chose au sérieux

▶ Reportage télévisé 4D

📺 Une nouvelle formation pour les femmes

1 Préparez-vous!

Êtes-vous d'accord avec les deux affirmations suivantes?

1 L'industrie de l'automobile est un secteur qui a été très touché par la crise économique.

2 Beaucoup de femmes travaillent dans ce secteur.

2 Pour comprendre l'essentiel

Regardez les photos ci-dessous. Ensuite regardez le reportage télévisé et répondez aux questions:

1 Voici Danièle Collet. **Quel est** son métier?
Les femmes **sont-elles** nombreuses dans ce métier?

2 **Où** sont ces femmes?
Que font-elles?

3 Expressions-clé

Vérifiez le sens des expressions de gauche en identifiant leur équivalent dans la colonne de droite.

1 une chute	**a** sélectionné
2 plus performante	**b** une période de formation
3 prendre pied	**c** capable de meilleurs résultats
4 trié sur le volet	**d** une réduction brutale
5 un stage	**e** s'établir

4 Vrai ou faux?

Lisez les affirmations suivantes. Regardez le reportage télévisé et corrigez celles qui sont fausses. (Il y en a trois.)

1 Les constructeurs automobiles français traversent une période difficile.

2 Les femmes sont meilleurs vendeurs de voiture que les hommes.

3 Le premier Institut Féminin de Vente Automobile a été créé à Fougères en Bretagne.

4 Toutes les femmes peuvent s'inscrire aux stages de cet institut: il n'y a pas de sélection.

5 Le stage dure un an.

6 Les stagiaires viennent de Fougères et des villages avoisinants.

5 Les témoins

1 Notez ce que vous apprenez sur les deux femmes interrogées:
   a Danièle Collet   **b** Josette Pascual

2 Quelle impression vous faites-vous de leur personnalité? A votre avis, vont-elles réussir dans le domaine de la vente automobile?

3 Qu'apportent les témoignages de Danièle et de Josette à ce reportage?

4 Est-ce qu'on aurait dû à votre avis interviewer d'autres personnes? Qui? Quelles questions auriez-vous posées?

6 Vérification

Trouvez les mots pour remplir les blancs:

L'industrie automobile est un des secteurs les plus ____ (1) par la crise. La production a encore ____(2) en octobre. Pour les producteurs, donc, la force de ___(3) des vendeurs est déterminante. Ils s'aperçoivent que les femmes sont souvent plus _____(4) dans ce domaine que les hommes. C'est ainsi que Citroën a décider de ____(5) le premier Institut Féminin de la Vente Automobile. Chaque année quinze femmes _____(6) suivent un stage intensif pratique et _____(7). Après leur stage, elles partent travailler avec beaucoup de succès chez les _____(8) non seulement de Citroën, mais de toutes les marques vendues en France.

concessionnaires	performantes
triées sur le volet	chuté
persuasion	touchés
théorique	créer

7 Vos réactions

1 Vendre des voitures. Est-ce un métier qui vous attire? Pourquoi?

2 Lisez le texte suivant qui résume les résultats d'un sondage réalisé en Angleterre en 1989. Ces résultats vous surprennent-ils?

Sex and work

Pour les Britanniques, la femme n'est pas tout à fait l'égale professionnelle de l'homme. Il y a encore, d'après un sondage, des métiers masculins, et d'autres féminins. Exemples de métiers réputés masculins: mécanicien auto (selon 73% des hommes et 62% des femmes) ou conducteur d'autobus (selon 42% des hommes et 38% des femmes). Près d'un tiers des hommes et plus de 25% des femmes interrogés considèrent également la direction d'une banque comme un travail masculin. En revanche, près de 60% des hommes et la moitié des femmes n'imaginent pas qu'une secrétaire puisse être… un secrétaire.

3 Y a-t-il à vos avis des professions dont les femmes devraient être exclues?

▶ Texte

📖 Vente d'autos: les femmes en prise

8 Préparez-vous!
Avant de lire l'article, faites de mémoire une liste des différentes informations du reportage télévisé.

9 Lecture rapide
1 Est-ce que dans le premier paragraphe
  a on décrit le stage de Fougères et son origine?
  b on parle de la carrière de Gérard Camps?
  c on explique les difficultés des femmes professionnelles?

2 Est-ce que dans le deuxième paragraphe on parle
  a des réactions des stagiaires?
  b de la réticence des concessionnaires à l'embauche d'une vendeuse?
  c des réactions des clients face à une vendeuse?

10 Lecture approfondie
1 Lisez le texte et à l'aide de votre liste, identifiez les informations qui confirment ce que vous avez appris dans le reportage télévisé.
2 Qu'apprenez-vous de nouveau dans ce texte?
3 Comparez cet article à celui du sondage réalisé en Angleterre. Quelles conclusions pouvez-vous en tirer sur l'égalité professionnelle dans les deux pays?

11 Exercice de vocabulaire
1 Trouvez dans le texte les expressions qui signifient:
  a tenaces
  b un voyage comportant une série de visites
  c créer
  d les producteurs (de voitures)
  e se termine
  f recruter
  g le nombre de voitures vendues
2 Certains concessionnaires refusaient d'engager une femme «prétextant le gadget»: que comprenez-vous par cette expression?

12 Vos réactions
Êtes-vous d'accord avec les journalistes du *Point* qui affirment que par rapport aux hommes, les femmes sont «douées d'une plus grande capacité d'écoute, accrocheuses et patientes»?

VENTE D'AUTOS : LES FEMMES EN PRISE

Dans le commerce automobile, un homme vend quinze voitures neuves par mois en moyenne. Une femme, cinq à dix de plus. Douées d'une plus grande capacité d'écoute, accrocheuses et patientes, les femmes se révèlent meilleures négociatrices que leurs collègues masculins. C'est fort de ce constat, dressé lors d'une tournée d'inspection de ses concessionnaires en Bretagne, que Gérard Camps, responsable de la formation chez Citroën, a convaincu la chambre de commerce de Fougères (Ille-et-Vilaine) de fonder le premier Institut Féminin de Vente Automobile (IFVA) ouvert à tous les constructeurs. Une initiative qui s'est étendue aux chambres de commerce de Versailles, Nîmes, Millau et Maubeuge. Les élèves, âgées de 28 à 40 ans, apprennent en six mois les techniques de vente, la technologie automobile et le financement du crédit. La formation s'achève par un stage pratique chez un concessionnaire. A son terme, les futures vendeuses entrent chez le constructeur de leur choix.

Dans le milieu automobile, plutôt «macho», elles ont dû d'abord gagner la confiance des concessionnaires. «Au début, certains refusaient d'engager une femme à la vente, prétextant le gadget», confie Alain Poligné, directeur de la chambre de commerce de Fougères. Mais leurs chiffres de ventes ont vite créé une réputation flatteuse. Résultat : «Dans un marché automobile difficile, les quinze stagiaires de la promotion 1993 de Fougères ont déjà reçu plus de quarante offres d'emploi», annonce Alain Poligné.

Le Point, 12 juin 1993

▶ Activités orales et écrites

13 Devinette: Quel est mon métier?

👥 Un étudiant choisit un métier. En posant des questions, les autres étudiants cherchent à deviner lequel. Voici quelques questions:
- Est-ce un métier pratiqué plutôt par les hommes?
- Est-ce un métier sédentaire?
- Doit-on travailler à l'extérieur?

14 Dialogue

👥 Votre rôle est celui d'un(e) responsable de l'Institut Féminin de Vente Automobile qui cherche à placer une de ses stagiaires. Votre partenaire est un concessionnaire qui résiste à l'intégration d'une femme dans son équipe de vente. Préparez le dialogue en notant tous les arguments pour l'embauche d'une vendeuse et tous les arguments contre. Ensuite, changez de rôle.

15 Présentation

🖊 Avez-vous un talent de vendeur(se)? Choisissez un objet/produit de cette liste et imaginez tous les arguments que vous pourriez avancer pour le vendre. Ensuite, rédigez une publicité pour votre objet/produit.
- un parapluie
- une poudre à laver
- une poubelle
- une bicyclette
- un stylo
- une boisson

16 Enquête

Trouvez dans différents magazines français (*Figaro Magazine*, *Madame Figaro*, *le Point*, *l'Express*, *l'Événement du Jeudi*, *Actuel*) des publicités pour des voitures. Faites une analyse comparative de ces publicités. Voici quelques questions pour orienter votre analyse:
- Quelle est la clientèle visée?
- Y a-t-il un slogan? Quelle est sa fonction?
- Quels sont les arguments de vente qui se dégagent du texte et de l'image?
- Sur quelles motivations du client potentiel cette publicité s'appuie-t-elle?

Choisissez une de ces publicités et présentez-la à la classe.

17 Lettre

🖊 Après avoir vu le reportage télévisé et lu l'article du *Point*, vous êtes très intéressé(e) par un stage de formation à la vente automobile en France. Vous écrivez une lettre soit (pour les femmes) à l'Institut Féminin de Vente Automobile à Fougères, soit (pour les hommes) à l'Institut Supérieur de Vente Automobile pour demander de plus amples renseignements. Faites d'abord une liste des questions que vous voulez poser dans votre lettre. Vous voulez savoir en particulier si l'institut accepte des stagiaires étrangers, et si vos diplômes anglais seront reconnus.

```
10 Rowntree Crescent
Brighton
BN1 12AS


                          M. Alain Poligné
                      Institut Féminin de
                  Vente Automobile (IFVA)
                       8 Boulevard Thiers
                        35300 FOUGÈRES


Brighton, le 12 mars 1994

Monsieur,

Ayant lu un article dans Le Point
consacré à votre Institut, je
m'intéresse beaucoup à la formation
que vous proposez.

Je suis ........................


Je vous prie d'agréer, Monsieur,
l'expression de mes sentiments
distingués.
```

Vocabulaire à retenir

la vente automobile	dévalorisé
la capacité d'écoute	réservé au(x)
le concessionnaire	plus performant
le stage	doué de
le secteur touché par la crise	trié sur le volet
les chiffres de ventes (m)	par rapport à
chuter	
réussir	
créer	
prendre pied	
se reconvertir	
embaucher	

Les deux reportages que comporte ce dossier concernent tous deux l'impact sur l'environnement de la production de l'électricité, surtout d'origine nucléaire.

La stratégie du dossier: reconnaître la structure typique d'un reportage

Ces reportages examinent les arguments pour et contre la création de projets potentiellement nuisibles à l'environnement et les réactions de la population locale concernée. C'est une présentation typique de l'information.

▶ Reportage télévisé 5A

📺 Victoire contre les pylônes!

1 Préparez-vous!

Repérez sur la carte à la page 8 la vallée du Louron dans les Pyrénées. Ensuite, regardez cette photo de la région et répondez aux questions.

1 Quels adjectifs s'appliquent le mieux à cette région: industrielle, touristique, pittoresque, riche, montagneuse.
2 Selon vous, quelle est la principale activité économique de cette région?
  a l'industrie automobile   **c** l'agriculture
  b le tourisme   **d** la sidérurgie

2 Pour comprendre l'essentiel

Regardez le reportage télévisé et résumez-le en répondant aux questions suivantes:
1 **Qui** propose de construire **quoi**?
2 Les habitants **sont-ils pour ou contre** ce projet?
3 **Quels sont** les arguments pour et contre ce projet?

3 Expressions-clé

Vérifiez le sens des expressions de gauche en indiquant leur équivalent dans la colonne de droite.
1 dans l'immédiat   **a** mettre sous terre
2 (accorder) un sursis   **b** donner son accord
  à exécution
3 une balafre   **c** au dernier moment
4 donner le feux vert   **d** remettre la décision à
                               plus tard
5 revoir sa copie   **e** une coupure qui défigure
6 in extrémis   **f** réviser son projet
7 enterrer   **g** pour l'instant

4 Vrai ou faux?

Lisez ces affirmations. Corrigez celles qui sont fausses.
1 Les écologistes ont réussi à arrêter le projet de construction d'une ligne à haute tension.
2 Dans la vallée du Louron, l'agriculture est l'activité économique principale.
3 On veut construire la ligne à haute tension pour acheminer le courant en Italie.
4 Les ministres de l'Environnement et du Tourisme ont soutenu les écologistes.
5 EDF propose d'enterrer la ligne à haute tension.

5 Les événements

Voici les dates relatives au projet de la vallée du Louron. Indiquez les événements mentionnés dans le reportage télévisé.

> **1984:** EDF propose de construire une ligne à haute tension à travers la vallée du Louron.
> **1988:** L'étude d'impact sur l'environnement est réalisée.
> **1989:** Brice Lalonde, le ministre de l'Environnement, arrête les travaux.
> **1990 mai:** Le gouvernement donne finalement son accord au permis de construire.
> **1991 octobre:** Le préfet* des Hautes-Pyrénées donne le feu vert aux travaux. Brice Lalonde et Jean-Michel Baylet demandent une étude des solutions alternatives.
> **1991 novembre:** Le tribunal administratif de Pau vote un sursis à exécution.
> **1992 août:** EDF s'engage à mieux insérer les lignes électriques dans l'environnement.
>
> * Le fonctionnaire responsable de l'administration d'un département

6 Vérification

Remplissez les blancs par des expressions du reportage télévisé.

Victoire pour les écologistes!

La ligne à haute tension du Val Louron qui devait ____ (1) les Pyrénées ne sera pas ___ (2) dans l'immédiat Le ___(3) de Pau a aujourd'hui décidé un __(4) de l'ensemble des travaux que proposait EDF. Prévue depuis 1984 pour relier la France à l'__(5) cette ligne de____(6) volts avait provoqué de vives polémiques. Il y a seulement un mois le préfet des Hautes-Pyrénées avait donné _____(7) aux travaux, mais la semaine dernière, les associations écologistes ont reçu au dernier moment le ____(8) de deux ministres: celui de l'Environnement, Brice Lalonde et celui du Tourisme, Jean-Michel Baylet. EDF doit maintenant _____(9) sa copie!

7 Vos réactions

Quelle impression vous faites-vous de la vallée du Louron? Aimeriez-vous y passer vos vacances? Pourquoi?

▶ Texte

📖 EDF enterre ses lignes

8 Lecture rapide

Lisez le chapeau et le premier paragraphe.

1 A quel événement dans le tableau des événements cet article se réfère-t-il?

2 Choisissez un synonyme pour le mot enfouir:

a cacher **b** démonter **c** enterrer

9 Lecture approfondie

Paragraphe 1

1 Comment l'attitude envers les lignes électriques a-t-elle changé au cours des dernières années?

2 A votre avis, en quoi consiste les droits nouveaux pour le citoyen en matière écologique que voulait défendre M. Bérégovoy?

Paragraphe 2

3 Quelles sont les constructions d'EDF qui défigurent le paysage? (On en cite quatre.)

4 Aujourd'hui ces constructions suscitent de la grogne parmi les riverains.

Le mot *grogne* signifie-t-il:

a le mécontentement? **b** l'indifférence? **c** la joie?

Le mot *riverains* signifie-t-il:

a les élus? **b** les politiciens? **c** les habitants?

5 Quel est le pays d'Europe du Nord qui:

a enterre le plus ses lignes à moyenne tension?

b enterre le moins ses lignes à moyenne tension?

6 Que veut dire l'expression *à la traîne*:

a en avant? **b** en arrière?

Paragraphe 3

7 La nouvelle convention signée par EDF concerne-t-elle:

a les lignes à moyenne tension?

b les lignes à haute tension?

8 Dans le cadre de ce nouveau programme d'EDF, le projet de la vallée du Louron sera-t-il définitivement abandonné?

10 Exercice de vocabulaire

Vérifiez le sens des expressions de gauche en identifiant leur équivalent dans la colonne de droite.

1	atténuer	**a**	à partir de maintenant
2	contrarier	**b**	impossible
3	par voie aérienne	**c**	rendre moins grave
4	des dommages	**d**	aller contre
5	désormais	**e**	conséquences négatives
6	hors de portée	**f**	(ici) par des pylônes

▶ Texte

📖 Les Amis de la Terre

11 Lecture rapide

Quel est le message du dépliant des *Amis de la Terre*?

12 Lecture approfondie

1 Voici les trois slogans qui résument les priorités des Amis de la Terre:

a Sauvons les arbres!

b De l'air pour la terre!

c Réduisons les déchets.

Identifiez le paragraphe qui développe chaque slogan.

2 Laquelle de ces trois priorités vous semble la plus facile à réaliser? Justifiez votre choix.

13 Exercice de vocabulaire

Expliquez ces expressions «d'éco-vocabulaire»:

1 l'effet de serre

2 les énergies renouvelables

3 une décharge incontrôlée

4 une déchetterie

5 l'emballage moins gaspilleur

▶ Activités orales et écrites

14 Discussion

👥 Laquelle de ces constructions nuirait le plus à votre environnement? Expliquez votre choix.

● un complexe commercial

● une autoroute

● une ligne à haute tension

● un immeuble de dix étages

15 Présentation

Faites une liste de propositions pour l'amélioration de votre environnement et comparez-la à celle des autres étudiants. Décidez de la proposition la plus réalisable et présentez-la à la classe.

Par exemple:

● *Je voudrais plus de pistes cyclables pour pouvoir aller au lycée à bicyclette.*

● *Il faudrait des déchetteries accessibles.*

16 Dépliant

✒ L'UMINATE, l'association écologiste opposée à la ligne à haute tension, organise une manifestation devant le siège social d'EDF à Pau. Rédigez le tract que distribueront les manifestants.

17 Récit

Comme l'indique le texte, les lignes à haute tension étaient autrefois des symboles de progrès. Comment serait votre vie aujourd'hui sans électricité? Racontez en une centaine de mots une journée dans un monde sans électricité.

18 Lettre

✒ Un(e) ami(e) français(e) s'intéresse beaucoup à l'écologie. Écrivez-lui une lettre dans laquelle vous lui expliquez ce qui se passe dans la vallée du Louron.

ENVIRONNEMENT

EDF enterre ses lignes

*D'ici à 1996, EDF s'engage à enfouir
55 000km de lignes électriques.
Une étape importante pour l'environnement.
Mais des problèmes subsistent.*

1 Hier symbole de progrès, les lignes électriques sont aujourd'hui critiquées parce qu'elles dénaturent nos paysages, constatait récemment le Premier ministre, Pierre Bérégovoy. Il devenait donc indispensable de faire un effort pour atténuer les dommages. Dans cette perspective, l'État vient de conclure un accord avec EDF pour l'insertion des réseaux électriques dans l'environnement. En signant cette convention avec les ministres de l'Industrie, Dominique Strauss-Kahn, et de l'Environnement, Ségolène Royal, le Premier ministre a précisé qu'il ne s'agissait nullement de contrarier le progrès mais de le maîtriser. Il a plutôt insisté sur «les droits nouveaux pour le citoyen en matière écologique».

UN PAYSAGE DÉTÉRIORÉ

2 Depuis l'après-guerre, l'électrification de l'Hexagone s'est faite essentiellement par voie aérienne. Les petites «tours Eiffel» se sont peu à peu multipliées sur tout le territoire. Au gré des barrages, des centrales de produc-tion, des puissantes lignes de transport et autres postes de transformation, le paysage français a subi ainsi de multiples dommages. Ces dernières années, cependant, ce type de construction a suscité plus de grogne que d'enthousiasme parmi les riverains. D'autant que la France se situe plutôt à la traîne par rapport à ses voisins d'Europe du Nord : elle n'a enterré que 21% de ses lignes à moyenne tension (20 000 volts), contre 44% en Grande Bretagne, 56% en Allemagne, 74% en Belgique et 98% aux Pays Bas.

3 Désormais, la tendance devrait s'inverser. Par cette nouvelle convention, EDF s'engage, en effet, à enfouir 55 000 km de lignes électriques d'ici à la fin de 1996, contre 33 000 actuellement. Soit une augmentation de 40% du nombre annuel de kilomètres enterrés. L'effort portera notamment sur les lignes de 20 000 volts, qui constituent l'essentiel du maillage. A partir de 1996, plus un seul kilomètre de ligne à moyenne tension ne devrait donc être construit en aérien. Pour les lignes à très haute tension (225 000 et 400 000 volts), hélas, aucune solution n'a été trouvée. Leur mise systématique en souterrain étant considérée comme techniquement et financièrement hors de portée.

Le Pèlerin, août 1992

LES AMIS DE LA TERRE

Voici quelques unes de nos campagnes prioritaires:

1 Aidez-nous à diffuser notre pétition effet de serre, à encourager les véhicules non polluants, promouvoir les énergies renouvelables, à faire campagne pour les économies d'énergie, à multiplier l'information, au niveau local, sur la pollution atmosphérique.

2 Aidez-nous à organiser des opérations de reboisement au Burkina, au Togo, au Benin; à protéger des incendies la forêt des Maures; à conseiller aux communes des modes de gestion des arbres (programme Arbres Expert) qui les protègent contre les voitures, les arrachages, la pollution automobile, qui contrôlent les maladies et organisent l'élagage doux.

3 Aidez-nous à lutter contre les décharges incontrôlées, à faire campagne pour le tri sélectif, à organiser des déchetteries accessibles, à mettre en place des systèmes de collecte du plastique, du papier, du verre. Aidez-nous à faire pression, pour des emballages moins gaspilleurs.

**Nous avons besoin de
vous d'urgence, cette année
encore**

Vocabulaire à retenir

la ligne à haute tension	enfouir
le pylône	s'engager à
le paysage	défigurer
le symbole de progrès	donner le feu vert
le barrage	atténuer les dommages
le riverain	se multiplier
la grogne	se mobiliser contre
la centrale nucléaire	acheminer le courant
l'effet de serre (m)	hors de portée
l'énergie renouvelable (f)	gaspiller
la décharge (incontrôlée)	
la déchetterie	
l'emballage (m)	
le soutien	
les opposants (m)	

▶ Reportage télévisé 5B

📺 Le stockage des déchets radioactifs

1 Préparez-vous!

Repérez la commune de Chatain et le département de la Vienne sur une carte de France. Regardez la photo de Chatain et répondez aux questions.

1 Selon vous quels adjectifs dans la liste suivante s'appliquent le mieux au village de Chatain:
   ● industriel   ● rural
   ● urbain   ● paisible
   ● endormi   ● dynamique

2 Selon vous, quelle est la principale activité économique de cette région?
   a l'industrie automobile   c l'agriculture
   b le textile   d la sidérurgie

3 Selon vous, la population de Chatain est-elle en progression ou en déclin? Justifiez votre réponse.

2 Pour comprendre l'essentiel

Regardez le reportage télévisé et répondez aux questions suivantes:

1 **Qui** propose de faire **quoi**?
2 Les habitants de cette région **sont-ils pour ou contre** ce projet?
3 **Quels sont** les arguments contre ce projet?
4 **Quels sont** les arguments pour ce projet?

3 Expressions-clé

Vérifiez le sens des expressions suivantes en identifiant leur équivalent dans la liste du bas.

1 une consultation
2 l'implantation éventuelle
3 las de la polémique
4 un pays qui se meurt
5 un bulletin (de vote)
6 exaucer le souhait

a une région qui se dépeuple
b fatigué par les discussions
c un référendum
d accorder à quelqu'un ce qu'il veut
e la construction possible, mais pas certaine
f le papier où l'on indique son vote

4 Vrai ou faux?

Lisez ces affirmations. Regardez le reportage et corrigez celles qui sont fausses. (Il y en a deux.)

1 Le maire de Chatain a organisé un référendum sur l'installation d'un laboratoire de stockage.
2 Il l'a organisé pour essayer de ramener le calme au village.
3 Toutes les communes voisines sont d'accord avec les habitants de Chatain.
4 Certains habitants de la région ont brûlé leurs cartes d'électeur.
5 Le laboratoire sera maintenant construit à Chatain dans les trois mois à venir.

5 Les témoins

1 Faites une liste des personnes qu'on a interviewées dans ce reportage.
2 Indiquez qui a dit:
   a Si ça doit être dangereux pour la population et les enfants, je pense qu'il faut que ce soit non.
   b C'est suite aux coups de fils anonymes, des menaces, des insultes...
   c Ils veulent nous faire croire qu'on peut gérer le sous-sol avec le nucléaire pour des millénaires: on se fout de la gueule de qui?

6 Vérification

Des erreurs se sont glissées dans cet article! Trouvez-les et corrigez l'article.

Déchets nucléaires: A Chatain, ils sont contre!

Le village de Chatain dans la Vienne est un petit bourg paisible, connu pour son vin et sa tranquillité. Mais depuis quelques mois l'annonce de l'implantation éventuelle d'un laboratoire de recherche en vue d'un stockage de déchets radioactifs a divisé les habitants.

M. Faudry, le maire du village, a donc décidé d'organiser une consultation, même si le vote, financé par le Conseil Régional, n'a aucune valeur légale.

Le résultat n'a pas beaucoup surpris: seulement 40% de la population s'est prononcé pour le laboratoire. D'autres habitants de la région s'opposent également au projet: beaucoup ont manifesté contre le laboratoire en brûlant leur permis de conduire. Mais c'est l'État qui, dans un an, décidera des sites définitifs après des études de terrain et de prospection.

7 Vos réactions

Si vous habitiez la Vienne, avec qui vous identifieriez-vous? Les habitants de Chatain qui ont voté pour le laboratoire de stockage ou les manifestants qui ont brûlé leurs cartes d'électeurs? Préparez des arguments pour justifier votre position.

8 Les événements

1 La France cherche une solution au problème des
sites pour le stockage des déchets radioactifs depuis
1983! Étudiez la chronologie des événements
relatifs à ce problème, présentée dans le tableau
suivant:

1983: L'État sélectionne, dans le plus grand secret, vingt-huit sites possibles pour l'installation de centres de stockage souterrain.

1987: Sans consulter les populations concernées, le ministre de l'Industrie retient quatre de ces vingt-huit sites.

1989–90: Les riverains des sites proposés s'opposent, parfois de façon violente, à l'installation de ces centres.

1990 février: Le Premier ministre décide de retarder la sélection de sites. Un sénateur, Christian Bataille est chargé d'un nouveau rapport.

1991 décembre: Le Parlement vote une loi qui définit strictement la politique française concernant les déchets nucléaires. La loi prévoit des programmes de recherche sur différentes solutions. La loi demande aussi que les représentants des communes proposées comme sites soient consultés.

1992 décembre–1993 novembre: Christian Bataille est chargé de repérer les sites les plus appropriés à recevoir des centres de recherche sur le stockage souterrain. Il consulte longuement avec les représentants des populations concernées. Beaucoup de communes consultées sont maintenant favorables à l'implantation d'un laboratoire.

1994 janvier: Christian Bataille propose quatre sites dans les départements de la Vienne, le Gard, la Haute-Marne et la Meuse. Dans la Vienne, le conseil général se prononce pour l'implantation d'un laboratoire de recherche dans son département. La consultation à Chatain produit un vote favorable.

---

2 Comme nous l'indique ce dessin du *Monde*, la
réaction des communes proposées comme sites a
changé au cours des années. Expliquez le sens du
dessin.

ENVIRONNEMENT CONSULTATION

Chatain vote pour les déchets nucléaires

Quelques jours après le choix des quatre sites destinés à recevoir les déchets nucléaires de l'an 2 000 (Gard, Meuse, Haute-Marne, Vienne), le combat fait rage sur le terrain. Dans le Gard, on est toujours candidat, comme dans la Vienne où un référendum était organisé hier. A Chatain, on a voté pour.

**Chatain –
De notre envoyé spécial**

1 A Chatain, la Charente est sortie de son lit et se répand dans les pâtures. Mais alors que cet événement tourne au drame un peu plus loin, ici ce n'est vraiment pas la météo qui secoue les esprits, mais un référendum : pour ou contre l'installation d'un laboratoire et d'une décharge souterraine de déchets radioactifs à vie longue.

2 «Non aux déchets», «Chatain n'est pas à vendre», «Inactifs aujourd'hui, radioactifs demain»… Quelle folie s'est soudain abattue sur les murs de ce petit bourg, qui s'enfonçait lentement et inexorablement dans la torpeur du vieillissement de sa population et de la désertification?

3 Annoncée aux maires des trente communes des cantons de Civray et Charroux, le 30 novembre dernier à la préfecture par le médiateur Christian Bataille, très vite la nouvelle qu'une décharge hautement radioactive pourrait s'installer sous leurs pieds a cristallisé les deux camps des pro et des anti.

4 Le maire de Chatain, Michel Faudry, 62 ans, PS, ne s'en cache pas : il est pour. «D'abord, parce que je fais confiance aux scientifiques, et que notre société doit traiter les déchets provenant de ses besoins énergétiques. Bien sûr, ce n'est pas enviable de les recevoir, mais cela peut représenter une chance pour l'emploi de cette région sinistrée.»

5 Mais si monsieur le maire a eu l'idée de ce référendum – il préfère le mot de consultation populaire – «c'est surtout parce que j'en avais assez des coups de téléphone anonymes me menaçant parce que je ne faisais rien contre l'installation de ce labo. Ce sera aux citoyens d'en juger.»

«Ni information ni débat»

6 Vice-président du comité de coordination Vienne-Charente opposé à ce projet, Michel Demézil, 60 ans, instituteur à la retraite, se méfie de «ce simulacre de démocratie» : «On demande aux gens de se prononcer sur un projet alors qu'il n'y a eu ni campagne d'information ni débat. Les gens votent en fonction d'a priori politiques ou pour ce qu'ils croient être de leur intérêt.»

7 Dans le seul café survivant du petit bourg, chacun y va de son pronostic sur le résultat. Chaudronnier au chômage, Jean-Louis Simonnet a fait un choix radicalement opposé à celui de Demézil : lui croit «que ce laboratoire sera une chance pour la région Sud-Vienne, mais à condition que l'on contraigne le gouvernement à y puiser en priorité les cent cinquante emplois de ce labo».

8 Pour Philippe Grollier, 26 ans, agriculteur, «c'est la dernière chance de cette région. Il y avait une trentaine de fermes ici il y a quinze ans: il en reste treize. Le labo, c'est un plus pour notre coin : soixante millions de francs de subvention par an pendant quinze ans. «Quelle commune peut refuser une telle manne?».

9 «Ici, il ne reste que les vieux, dit Bruno, 24 ans, photograveur, et qui a été obligé de s'expatrier à Angoulême. C'est pour cela qu'on peut leur imposer n'importe quoi. Mais les jeunes ne croient pas à ces emplois, ce seront des techniciens et des ingénieurs venus d'ailleurs. Ici, on va nous mettre les déchets. On va nous donner un peu de pognon et après on nous oubliera.»

10 Aux dernières nouvelles hier, à Chatain, la Charente était à la décrue, mais le ton, lui, montait inexorablement : 146 pour, 96 contre et 7 abstentions, tel était le résultat d'un scrutin sur un débat qui ne fait que commencer dans cette région de la Vienne.

Le Parisien, 10 janvier 1994, Jean Darriulat

▶ Texte

📖 Chatain vote pour les déchets nucléaires

9 Lecture rapide

Ce texte est-il consacré:

a aux mauvaises conditions météorologiques à Chatain?

b à une analyse économique de la Vienne?

c aux différentes opinions émises par les habitants de Chatain?

10 Lecture approfondie

Paragraphes 1 et 2

1 La Charente a inondé les champs à Chatain mais personne ne parle des intempéries. Pourquoi?

2 Quelle est l'image du village de Chatain communiquée par le paragraphe 2?

Paragraphes 4 à 9

3 Lisez les témoignages et complétez le tableau suivant:

	Pour? Contre?	Qu'apprenez-vous sur lui?	Résumez son opinion
Michel Faudry	pour	maire, 62 ans, socialiste	
Michel Demézil			
Jean-Louis Simonnet			
Philippe Grollier			
Bruno			

4 Pour quelles raisons le maire a-t-il organisé la consultation?

5 Pourquoi à votre avis Bruno a-t-il été obligé de s'expatrier à Angoulême?

11 Exercice de vocabulaire

Trouvez dans le texte les phrases qui correspondent à celles-ci:

1 Ce petit village voyait sa population vieillir et diminuer et ses services de plus en plus réduits.

2 Pourvu qu'on oblige le gouvernement à recruter prioritairement des habitants de la région pour les 150 postes prévus.

3 L'État nous donnera soixante millions de francs par an pendant quinze ans.

4 Nous recevrons un peu d'argent.

5 Le niveau de la Charente baissait.

Le point sur la langue

Révisez l'emploi du **subjonctif** dans une grammaire et remarquez son utilisation dans les phrases suivantes. Pourquoi l'emploie-t-on dans ces contextes?

> Si ça doit être dangereux pour la population et les enfants, je pense qu'**il faut que ce soit non**.
>
> **A condition que l'on contraigne** le gouvernement à y puiser les cent cinquante emplois.

Contrôle

Complétez maintenant les phrases suivantes en mettant le verbe entre parenthèses au subjonctif:

1 Il faut que le gouvernement (*consulter*) les élus locaux sur cette question des déchets nucléaires.

2 Il est important que chacun (*pouvoir*) exprimer son opinion.

3 Il est important que nous (*être*) informés des risques et dangers des déchets nucléaires.

4 Il faut qu'on (*faire*) quelque chose pour lutter contre la désertification de la campagne.

5 Il est essentiel que nous (*savoir*) combien d'emplois seront créés à Chatain.

6 Le laboratoire ne sera pas dangereux à condition que tous les règlements (*être*) respectés.

7 J'accepterai de vivre dans un village comme Chatain à condition que vous me (*acheter*) une voiture!

▶ Activités orales et écrites

12 Discussion

👥 Imaginez une conversation dans le café de Chatain le jour de la consultation entre trois amis ayant tous des avis différents sur le laboratoire de recherche.

Étudiant A: François(e) Vert

Vous habitez à Chatain depuis cinq ans. Vous êtes professeur de musique, vous donnez des cours de piano dans la région. Vous êtes membre des Amis de la Terre. Vous êtes contre l'énergie nucléaire.

Étudiant B: Simon(e) Sous

Vous tenez l'épicerie de Chatain. Au cours des années vous avez vu diminuer vos revenus. Vous aimez habiter à la campagne et vous n'avez pas envie de quitter Chatain. Vous avez voté pour «Génération Écologie» aux dernières élections mais vous n'êtes pas un(e) écologiste convaincu(e).

Étudiant C: André(e) Ampère

Vous avez une formation de laborantin(e). En ce moment vous ne travaillez pas dans un labo mais vous avez un poste à mi-temps dans une pharmacie dans un village voisin. Vous êtes pour l'énergie nucléaire.

13 Présentation

👥 A partir du reportage télévisé et du texte «Chatain vote pour les déchets nucléaires», quelle image vous faites-vous de ce village? Décrivez cette image à un partenaire. Aimeriez-vous vivre dans un endroit comme Chatain? Pourquoi?

14 Brochure

🖋 Philippe Grollier, l'agriculteur de Chatain, décide de se lancer dans le tourisme rural, en proposant des chambres d'hôte dans sa ferme. Rédigez-lui une brochure de publicité dans laquelle vous insistez sur le calme et la beauté du village. (Ne mentionnez pas évidemment l'éventuel stockage de déchets nucléaires!)

Vocabulaire à retenir

la consultation	s'opposer à
l'implantation éventuelle (f)	se prononcer {pour
le laboratoire de recherche	{contre
la spécialité locale	s'expatrier
la polémique	protester
le stockage	manifester
le bulletin de vote	
la décharge souterraine	
le vieillissement de la population	
la désertification	
le coup de téléphone anonyme	
la subvention	
les déchets {nucléaires (m)	
{radioactifs	
les besoins énergétiques (m)	

Nous poursuivons dans ce dossier le thème de l'environnement par deux reportages concernant des manifestations, organisées à Paris et en région parisienne, pour protester contre la dégradation de la qualité de la vie due aux nuisances occasionnées par les transports, notamment l'avion et la voiture.

La stratégie du dossier: reconnaître la structure typique d'un reportage

On peut souvent prédire le genre d'informations qui figureront dans un reportage. Nous considérons ici les différentes catégories d'informations susceptibles de composer un reportage sur une manifestation.

▶ Reportage télévisé 6A

📺 Manifestation à Roissy

1 Préparez-vous!
   1 A votre avis, quelles informations figureront dans un reportage consacré à une manifestation?
   2 Qu'est-ce qui se trouve à Roissy?
   3 Pour quelles raisons, à votre avis, manifestait-on à Roissy?

2 Les images
Regardez *sans* le son le reportage sur la manifestation à Roissy. Remarquez en particulier les images suivantes. Que signifient-t-elles?
   1 des voitures qui roulent lentement sur une autoroute: pourquoi?
   2 des manifestants qui défilent le long de l'autoroute: pourquoi?
   3 une pancarte indiquant «Halte aux nuisances aériennes»: qu'est-ce que cela veut dire?
   4 des voyageurs bagages à la main marchant le long de l'autoroute: pourquoi?
   5 des manifestants qui portent un ruban tricolore: qui sont-ils?
   6 un chantier de construction: qu'est-ce qu'on y construit?

3 Pour comprendre l'essentiel
Avant de regarder le reportage essayez de répondre à ces questions. Ensuite, regardez le reportage *avec* le son et complétez vos réponses.
   1 **Où** exactement se déroule la manifestation?
   2 **Comment** manifeste-t-on?
   3 **Qui** manifeste?
   4 **Pourquoi** manifeste-t-on?
   5 **Qui** est touché par la manifestation?

4 Expressions-clé
Choisissez la définition qui vous semble la meilleure.
   1 une opération escargot
     a quand on ralentit la circulation volontairement
     b lorsqu'on manifeste à l'intérieur d'un bâtiment
     c lorsqu'on manifeste en voiture
   2 les nuisances aériennes
     a les vols de nuit
     b les dégagements de fumée dans l'atmosphère
     c la pollution sonore dûe aux avions
   3 les pistes d'envol
     a les hangars pour avions
     b les terrains où décollent et atterrissent les avions
     c la partie de l'autoroute qui mène à l'aéroport
   4 les riverains
     a le personnel du sol dans un aéroport
     b la police
     c les habitants d'un quartier
   5 la pagaille
     a le désordre
     b la colère
     c la joie
   6 les élus de la région
     a les représentants municipaux et régionaux
     b les syndicalistes
     c les chauffeurs de taxi

5 Les témoins
Voici quatre personnes interviewées pour ce reportage.

1

2

3

4

Indiquez la description qui correspond à chaque personne et choisissez l'adjectif qui convient: irrité, amusé, calme, exaspéré, prévoyant, inquiet.
   a Il est parti plus tôt que d'habitude.
   b C'est un voyageur qui arrive en taxi.
   c Il n'est pas français
   d C'est un conducteur bloqué dans les embouteillages.

6 Vérification

Voici un article paru le lendemain de la manifestation. Le journaliste s'est trompé plusieurs fois. Corrigez les erreurs.

Opération escargot à Roissy

Des voyageurs à pied, bagages à la main, marchant à côté de voitures immobilisées sur les routes qui conduisent à l'aéroport... le spectacle était insolite hier après-midi aux entrées de Roissy! Une opération escargot avait été lancée par plusieurs associations de riverains pour protester contre la construction d'un immense complexe hôtelier près de l'aéroport. On estime que dans cinq ans, l'aéroport de Roissy devrait accueillir six fois plus de passagers qu'aujourd'hui.

Environ trente voitures, accompagnées par des manifestants à pied, élus locaux en tête, ont bloqué les accès à l'aéroport. Des centaines de voyageurs ont manqué leur avion et il y a eu quelques affrontements entre automobilistes et manifestants. Interrogé avant la manifestation, le maire de Montmorency a déclaré que c'était le non-respect des trajectoires qui inquiétait le plus les 350 000 habitants de la ville.

7 Vos réactions

👥 Pour qui avez-vous le plus de sympathie? Les manifestants qui veulent protéger leur cadre de vie ou les voyageurs, innocentes victimes de l'opération escargot? Pourquoi?

Formez des petits groupes, et discutez-en.

▶ Texte

📖 Une autoroute au-dessus de la tête

8 Lecture rapide

Parcourez rapidement le texte pour pouvoir répondre aux questions suivantes:

1 Cet article a-t-il été rédigé avant ou après le reportage télévisé?

2 En quoi son contenu diffère-t-il du reportage télévisé? Choisissez les bonnes réponses:

   a Il donne plus de statistiques.

   b Il est centré sur les problèmes des riverains.

   c Il expose en détail le projet d'agrandissement de l'aéroport.

   d Il présente les revendications des associations de riverains.

   e Il explique l'itinéraire de la manifestation.

9 Lecture approfondie

Lisez ce texte plus en profondeur pour remplir la grille.

	Paragraphe	Résumé
1 Les témoignages des riverains, touchés par les nuisances aériennes	1 1 3 3 3	a b Il faut fermer les fenêtres pour écouter la radio c d e
2 La réaction de l'ADP (Aéroports de Paris)		
3 Les faits concernant les nuisances aériennes		cent cinquante-six avions par jour où le niveau sonore est supérieur à la limite admise
4 Les revendications des associations		a l'arrêt de l'extension de l'aéroport b c

10 Exercice de vocabulaire

Voici un article paru le lendemain de la manifestation. Trouvez les expressions qui manquent. Elles figurent toutes soit dans l'article soit dans le reportage télévisé.

Ras-le-bol à Roissy!

Les riverains de l'aéroport de Roissy crient au r____ l__ b_____ (1)! Ils en ont assez des avions qui s_____(2) leurs maisons. Roissy est s___(3) à environ quinze kilomètres de la vallée de Montmorency. Les autorités de l'aéroport (Aéroports de Paris) s'étonnent que les habitants à cette distance de l'aéroport se plaignent du bruit, mais les ___(4) sont là. On estime que cent cinquante-six avions par jour passent au dessus de la vallée avec un n_____(5) sonore supérieur aux 60 décibels admis par la loi. A l'hôpital d'Eaubonne (Val de l'Oise) on a même dû i____(6) les chambres et faire porter à certain patients des casques anti-b_____(7)! Les habitants de Montmorency ont donc décidé hier de manifester contre les n____ a_____(8). Ils réclament la s____ (9) des vols de nuit et l'arrêt de l'e_____(10) de l'aéroport. Ils demandent aussi la c____(11) d'un troisième aéroport en Picardie.

11 Vos réactions

1 Êtes-vous sensible au bruit? Dans votre vie quotidienne, est-ce qu'il y a des nuisances qui vous dérangent? Lesquelles?

2 Accepteriez-vous de vivre près d'un aéroport? Pourquoi?

ROISSY NUISANCES

«Une autoroute au-dessus de la tête»

Demain, dimanche, un millier d'habitants du Val-d'Oise et leurs élus vont investir les abords de l'aéroport de Roissy pour en bloquer les accès. Leur but : manifester contre les nuisances aériennes et se faire entendre du gouvernement...

1 «J'ai une autoroute au-dessus de la tête et pas de mur anti-bruit», lâche un habitant de la vallée de Montmorency dans le Val-d'Oise. Dans son pavillon situé juste au-dessous du couloir aérien emprunté jour et nuit, la vie devient infernale lorsque souffle le vent d'est. «Il faut fermer les fenêtres pour pouvoir écouter la radio, la télé ou même se parler», confie son voisin aussi excédé. Alors, ils ont décidé de frapper un grand coup. Demain, une opération escargot aura lieu autour de l'aéroport à l'appel des maires de la vallée et de plusieurs associations contre les nuisances aériennes.

2 L'aéroport de Roissy est situé à une distance comprise entre quinze et vingt kilomètres, à vol d'oiseau, de la vallée de Montmorency où les quartiers pavillonnaires voisinent avec les grands ensembles. Au total, plus de 350 000 personnes sont concernées par le passage des avions. Trois cent cinquante mille personnes qui crient au ras-le-bol!

«Nous n'imaginions pas que des gens habitant si loin de l'aéroport pourraient se plaindre du bruit», s'étonne Aéroports de Paris (ADP), devant tant de témoignages.

Même les médecins s'inquiètent

3 Les faits sont là. On a compté très officiellement le passage de cent cinquante-six avions par jour avec un niveau sonore supérieur à quatre-vingts décibels pour certains, alors que la limite admise est de soixante décibels. «Deux nuits sur trois, je ne m'endors qu'avec des boules Quiès dans les oreilles», se lamente un étudiant. Même les mélomanes se sont plaints auprès d'ADP. «Il y a quelques jours, le bruit assourdissant du Concorde a couvert pendant plus d'une minute le concert de musique classique qui était donné en la collégiale de Montmorency.» Cri d'alarme lancé aussi par le service ORI du centre hospitalier d'Eaubonne qui doit prendre d'infinies précautions lors de ses interventions : «Toute chirurgie qui touche ou frôle l'oreille fragilise celle-ci et la rend très vulnérable au bruit. Certaines opérations ne tolèrent pas la moindre agression sonore qui entraînerait la mort de l'oreille par une surdité totale. A cause du passage des avions, il nous a fallu notamment insonoriser les chambres et faire porter des casques anti-bruit aux patients.»

4 Deux associations locales de défense de l'environnement sont à l'origine de l'opération escargot de dimanche. Les adhérents et sympathisants doivent se retrouver entre 10h 50 et 13h 30 à Roissy. Ils veulent être entendus par Aéroports de Paris et par le gouvernement pour que des solutions soient trouvées, surtout l'arrêt de l'extension de l'aéroport (trois pistes supplémentaires sont prévues), la suppression des vols de nuit et la construction d'un troisième aéroport en Picardie. Et pour cela, ils on bien l'intention de faire du bruit.

Le Parisien

▶ Activités orales et écrites

12 Dialogue

👥 Au téléphone vous jouez le rôle d'un(e) voyageur(se) qui a manqué son avion et votre partenaire est la personne qui devait l'accueillir à sa destination. Avant de commencer préparez-vous en précisant:
- la relation entre les deux personnes
- la destination du voyageur
- les raisons de son séjour à Paris
- la réaction du voyageur face aux perturbations à Roissy
- ses nouvelles dispositions
- la réaction de la personne qui devait l'accueillir

Ensuite changez de rôle.

13 Tract

✒ Rédigez le tract que les participants à la manifestation ont distribué aux automobilistes et voyageurs et qui explique le but de leur action.

14 Article de journal

✒ L'article «Une autoroute au-dessus de la tête» est centré sur les griefs des riverains. Écrivez un article, paru le lendemain de la manifestation, qui parle des réactions des personnes touchées par celle-ci. Pour votre article, vous avez interviewé:
- deux ou trois voyageurs
- un chauffeur de taxi
- un homme venu chercher sa femme à l'aéroport

15 Récit

Avez-vous déjà participé à une manifestation? Quel était le but de cette manifestation? Qui a été touché? La manifestation a-t-elle réussi?
Racontez vos expériences.

Vocabulaire à retenir

le cortège	accueillir
la pancarte	survoler
l'adhérent (m)	manifester
le sympathisant	se faire entendre
l'opération escargot (f)	paralyser la circulation
l'élu (m)	insonoriser
la suppression	crier au ras-le-bol!
la piste d'envol	se plaindre du bruit
le riverain	dans le calme
la nuisance aérienne	prévu
le niveau sonore	
le passage des avions	
les travaux (m)	

▶ Reportage télévisé 6B

📺 **Manifestation des cyclistes parisiens**

1 Préparez-vous!

1 Faites-vous du vélo en ville? Quelles sont les difficultés que doivent affronter les cyclistes en ville?

2 Quelles solutions pourriez-vous imaginer pour faciliter la vie aux cyclistes urbains?

3 A votre avis, faire du vélo dans Paris doit être:
- agréable
- pratique
- reposant
- dangereux

Choisissez les adjectifs qui correspondent à votre point de vue. Justifiez votre choix.

2 Les images

Regardez le reportage *sans* le son. Relevez dans la liste suivante les deux images qui ne figurent pas dans le reportage.

1 beaucoup de cyclistes qui roulent dans Paris
2 des cyclistes qui passent par des pistes cyclables
3 des cyclistes portant des masques à gaz
4 deux cyclistes qui roulent avec difficulté parmi des voitures
5 des voitures obligées d'attendre le passage des vélos
6 des vélos qui traversent une place devant un château
7 un plan de Paris indiquant les pistes cyclables

3 Pour comprendre l'essentiel

Avant de regarder le reportage essayez de répondre à ces questions. Ensuite, regardez le reportage *avec* le son et complétez vos réponses.

1 **Où** exactement se déroule la manifestation?
2 **Comment** manifeste-t-on?
3 **Qui** manifeste?
4 **Pourquoi** manifeste-t-on?
5 **Qui** est touché par la manifestation?

4 Vrai ou faux?

Lisez ces sept affirmations. Regardez le reportage *avec* le son et trouvez celles qui sont fausses. (Il y en a trois.)

1 Il y a trente-sept kilomètres de pistes cyclables actuellement à Paris.
2 Les pistes cyclables sont aménagées entre les allées des bus et les voitures.
3 Selon un manifestant, les automobilistes considèrent les cyclistes comme des marginaux.
4 Le cortège de cyclistes passe devant la résidence officielle du maire de Paris.
5 François Tempé précise qu'il faut un axe cyclable est–ouest dans chaque arrondissement.
6 L'ambiance à la manifestation est plutôt tendue et agressive.

5 Vos réactions

Le ton de ce reportage est-il plus plutôt sérieux, léger ou dramatique? Justifiez votre réponse.

6 En particulier

1 Quelle expression Claire Chazal emploie-t-elle dans son introduction pour ne pas répéter le mot bicyclette:

   a le vélo   c la petite reine
   b le deux-roues   d la bécane

2 Regardez cet extrait d'une bande dessinée très connue en France, *Astérix le Gaulois*. Expliquez son rapport avec le reportage.

Nous sommes en 50 avant Jésus-Christ. Toute la Gaule est occupée par les Romains... Toute? Non! Un village peuplé d'irréductibles Gaulois résiste encore et toujours à l'envahisseur. Et la vie n'est pas facile pour les garnisons de légionnaires romains des camps retranchés de Babaorum, Aquarium, Laudanum et Petitbonum...

3 Selon la journaliste, quel était le mot d'ordre de la manifestation?

   a Halte aux voitures!
   b La bagnole ras-le-bol!
   c Vive la petite reine!

4 L'un des manifestants dit «Plus de facilités pour les vélos, ce serait déjà pas mal... Jacques, tu m'as entendu?» Qui est ce Jacques à qui il s'adresse?

   a Jacques Perrault, l'ingénieur du son de TF1
   b Jacques Cousteau, célèbre océanographe
   c Jacques Chirac, maire de Paris

5 La journaliste termine son reportage par un jeu de mots en déclarant: Cet après-midi, les rues de Paris ont vécu la _____. Quel est le mot qui manque?

7 Vérification

Trouvez les mots pour remplir les blancs dans le commentaire de la journaliste.

Nous sommes en __(1) après Jésus-Christ. Toute la Gaule est occupée par les___(2). Toute? Non, un petit groupe de ___(3) résiste victorieusement à l'____(4) motorisé. Ce ne sont pas ces ridicules 3,7km de pistes cyclables qui vont rendre les rues de Paris____(5). Alors cet après-midi les vélocipédistes passaient à l'____(6) et relayaient l'automobile au stade d'auto non _____(7). L'oppresseur à quatre ____(8) devenu _____ (9) piaffait d'impatience devant ce défilé qui ____(10) son droit d'usager de la route.

voitures	cyclistes	offensive
1993	mobile	revendiquait
respirables	envahisseur	roues
oppressé		

PREMIER BILAN

Jour de rentrée dans Strasbourg sans voitures

Lancée il y a quinze jours, l'opération «Centre-ville sans voitures» arrivait hier à son épreuve de vérité. C'était la fin des vacances dans la capitale alsacienne. Et l'heure d'un premier bilan pour une expérience suivie, attentivement, par toutes les villes de France.

Strasbourg
De notre envoyé spécial Rémy Hivrez

1 Dans les rues du Vieux Strasbourg, les piétons qui tiennent désormais le haut du pavé, pavoisent comme s'ils venaient de remporter une bataille... Crispés sur leur volant, un peu perdus, les automobilistes cherchent le meilleur moyen pour contourner le cœur historique qui leur est désormais interdit. Ils étaient hier plus de 60 000, à l'heure du retour des vacances, à se demander comment aller du nord au sud et de l'est à l'ouest sans passer par le centre-ville de la capitale alsacienne.

2 «Nous étions relativement inquiets à l'occasion de cette rentrée, explique Roland Ries, premier adjoint au maire de Strasbourg, mais dans l'ensemble tout s'est bien passé, tout au plus quelques bouchons et ralentissements sur les voies de contournement stratégiques comme le pont des Frères-Mathis ou les quais. Il semble que l'information soit bien passée même si on sent que les automobilistes n'ont pas encore trouvé leur nouvel itinéraire.» Autour de la place

Kléber, à deux pas de la cathédrale, ce qui frappe c'est le calme. Les rues principales, animées il y a quinze jours encore par un incessant tourbillon d'automobiles, ne sont plus traversées que par les bus, les vélos et quelques rares taxis.

3 «C'est vrai que voir le centre-ville comme ça, ça fait drôle, dit une étudiante, on dirait que c'est le désert. Mais on peut vraiment flâner, regarder le ciel sans craindre d'être renversée par une voiture. Et puis on respire!» «Quelques jours après la mise en place du nouveau plan de circulation, le 24 février, raconte le premier adjoint au maire, nous avons eu pourtant la désagréable surprise de constater qu'en dépit de l'absence de voitures en centre-ville, les seuils de pollution étaient encore en hausse! Le phénomène était en fait dû aux conditions météorologiques qui faisaient stagner l'air. Imaginez si nous avions eu en plus la circulation...»

Les commerçants pas convaincus

4 Tiraillés entre le piéton roi et l'automobiliste perturbé dans ses habitudes, les

commerçants se font des cheveux blancs. «Personne ne sait ce que tout cela va donner, souligne Harry Lapp, président de l'Association des Commerçants, élu de l'opposition au conseil municipal. Nous vivons dans une angoisse légitime. Les clients, après s'être cognés deux ou trois fois sur les interdictions iront faire leurs achats dans les grandes surfaces de la périphérie. Nous avons établi un bilan des dégâts: le centre-ville, toutes activités confondues, rapporte dix milliards de francs par an... Nous perdrons au moins un milliard. Il faudra licencier 10% des employés, soit plus de mille personnes. L'argument de la pollution est vraiment ridicule. Les voitures, qui ne circuleront plus dans le centre, rouleront ailleurs, et déplaceront le problème des nuisances sur les voies de contournement.»

5 Mais alors que se poursuit le débat, derrière la place Gutenberg, en plein cœur de la ville, là où les autos n'ont plus le droit de cité, il y a un endroit qui retrouve chaque jour un peu plus ses lettres de noblesse, c'est la petite rue du Poumon...

Le Parisien, mardi 10 mars 1992

VOIX EXPRESS

Doit-on interdire le centre-ville de Paris aux conducteurs seuls dans leur voiture?

 **1**

 **2**

 **3**

 **4**

- **Olivier Guérard**
- **20 ans**
- **Étudiant en notariat**
- **Poissy (78)**

«C'est stupide et ingérable. Ça bouchonne et ça bouchonnera toujours en ville. D'ailleurs, comment voulez-vous assurer le contrôle? Il y a des dizaines de cas d'espèce où l'on est obligé de rouler seul. La solution n'existe pas. Il n'y a que la Chine pour voir tous les gens rouler à vélo.»

- **Charles Doriot**
- **47 ans**
- **Anesthésiste-réanimateur**
- **Paris XVIᵉ**

«J'ai des doutes. Je ne vois absolument pas comment on pourrait faire appliquer une pareille mesure. S'il faut empêcher les voitures d'entrer, il faut des endroits où les garer et suffisamment de transports en commun. Ce n'est pas le cas actuellement. Moi, j'ai trouvé la solution, je ne me déplace qu'à moto.»

- **Dominique Prévost**
- **23 ans**
- **Étudiante en histoire de l'art**
- **Paris XVIIᵉ**

«Ce serait génial, particulièrement pour certains quartiers, ceux plus touristiques, où il y a des cinémas. On prendrait le parti des piétons, dont je suis. Cela dit, c'est inapplicable en France. Les gens se foutent des interdictions. Un exemple? Il est interdit de fumer dans le métro. Tout le monde continue.»

- **Étienne Dambert**
- **46 ans**
- **Administrateur**
- **Poissy (78)**

«Les Français en sont incapables. Ce serait pourtant la solution idéale pour éliminer les embouteillages et diminuer la pollution. Mais on ne peut rendre la vie impossible aux gens seuls. On ne peut pas non plus mettre des gendarmes aux entrées de villes. Il faut faire appel au sens civique des citoyens. Mais je n'y crois pas trop.»

Le Parisien

▶ Texte

📖 Jour de rentrée dans Strasbourg sans voitures

8 Lecture rapide
1 «Jour de rentrée»: de quelles vacances rentrent les strasbourgeois?
2 En quoi consiste le nouveau plan de circulation mis en pratique à Strasbourg?
3 Parcourez le texte rapidement pour repérer les paragraphes concernant:
   a le premier bilan: commentaires de l'adjoint au maire
   b la réaction d'une piétonne
   c les réactions des commerçants

9 Lecture approfondie

Le premier bilan
1 Selon M. Ries, le bilan sur l'opération «Centre-ville sans voitures» est-il plutôt positif ou plutôt négatif?
2 Que dit M. Ries concernant les automobilistes strasbourgeois?
3 M. Ries parle d'une «désagréable surprise» le 24 février 1992: de quoi s'agissait-il?
4 Cette «désagréable surprise» remet-elle en question l'opération «ville sans voitures»?

Les réactions d'une piétonne
5 Cette étudiante fait allusion à deux avantages de la politique strasbourgeoise pour les piétons: lesquels?

Les commerçants
6 Les commerçants du centre-ville sont-ils pour ou contre cette politique?
7 Pour quelles raisons?
8 Faites une liste des conséquences que prévoit M. Lapp.

Dans le cœur de la ville
9 Expliquez l'allusion ironique du journaliste à la rue du Poumon.

10 Exercice de vocabulaire
Vérifiez le sens des expressions de gauche en identifiant leur équivalent dans la colonne de droite.
1 tenir le haut du pavé   a avoir le droit d'entrer
2 contourner   b mettre à la porte (un employé)
3 flâner   c être le plus important
4 se faire des cheveux blancs d se promener sans hâte, avec plaisir
5 licencier   e se faire des soucis
6 avoir droit de cité   f faire le tour de

▶ Texte

📖 Voix Express

Paris pourrait-il suivre l'exemple de Strasbourg? Difficile à imaginer, mais *Le Parisien* a demandé aux Parisiens leur avis sur une solution similaire, adoptée déjà dans certaines grandes villes européennes, comme Athènes et Amsterdam: il s'agit d'interdire le centre-ville aux conducteurs seuls dans leur voiture.

11 Lecture rapide
Lisez les quatre témoignages et trouvez:
   a la personne qui est contre
   b les deux personnes qui trouvent que ce serait une bonne idée mais inapplicable
   c la personne qui a trouvé une solution personnelle au problème

12 Lecture approfondie
1 Quelles sont les raisons données en faveur de cette mesure?
2 Quelles sont les difficultés de l'application d'une pareille mesure?

Le point sur la langue

Révisez dans une grammaire le temps du **conditionnel passé**. Remarquez que l'adjoint au maire nous dit:

> Imaginez… si nous **avions eu** en plus la circulation…

Voici comment on pourrait terminer sa phrase:

> la pollution au centre-ville **aurait été** pire.

Notez le temps du plus-que-parfait dans la première partie de la phrase après «si».

Contrôle

Complétez les phrases suivantes en mettant le verbe entre parenthèses au temps voulu:
1 Si Strasbourg n'avait pas mis en place ce plan de circulation, les seuils de pollution au centre-ville (*continuer*) à monter.
2 Si la ville de Paris avait aménagé plus de pistes cyclables, les cyclistes (*ne pas – manifester*) le 6 juin.
3 Si les cyclistes (*bloquer*) les rues de Paris pendant toute la journée les automobilistes (*se mettre*) en colère.
4 Si les cyclistes (*ne pas – manifester*), personne (*ne pas – faire*) attention à leurs revendications.
5 Choisissez maintenant la fin des phrases suivantes:
   a Si j'avais été à Paris le jour de la manifestation des cyclistes, je…
   b Si j'avais été automobiliste à Strasbourg le jour de la rentrée, je…

▶ Activités orales et écrites

13 Discussion et article

👥 Quelles sont vos réactions à l'idée d'interdire les
🖋 centres-ville aux conducteurs seuls dans leur voiture?
Discutez-en avec un partenaire. Ensuite en petits
groupes, rédigez votre propre série de témoignages
sur cette question à la façon de «Voix Express».

14 Débat et article

👥 1 Votre ville veut mettre en place un plan circulation.
Trois possibilités sont à l'étude:
● aménager des pistes cyclables dans le centre-ville
● interdire le centre-ville aux conducteurs seuls
dans leur voiture
● interdire le centre-ville aux véhicules privés
Étudiant A: Vous êtes M./Mme Jean/Jeanne
Schreiber, journaliste strasbourgeois(e). Vous faites
une enquête pour votre journal sur les plans de
circulation en discussion dans d'autres villes. Vous
commencez par vous présenter et expliquer le but
de votre enquête. Vous demandez à chacun des
participants de se présenter. Ensuite pour démarrer
la discussion vous leur demandez d'exposer leurs
opinions sur le plan de circulation.
Étudiant B: Vous êtes commerçant. Vous tenez un
magasin d'antiquités au centre-ville.
Étudiant C: Vous travaillez au centre-ville, mais vous
habitez dans un village à quelques quinze kilomètres.
Vous venez toujours au travail en voiture.
Étudiant D: Vous habitez et travaillez en ville. Vous
n'avez pas de voiture. Vous circulez en vélo.

🖋 2 A la fin du débat, tout le groupe participe à la
rédaction de l'article du journaliste strasbourgeois.

15 Tract

🖋 Rédigez le tract pour la manifestation des cyclistes
dans lequel vous expliquez aux automobilistes les
raisons de votre action.

16 Lettre

🖋 Vous êtes cycliste. Vous habitez Paris. Vous écrivez au
maire de Paris pour lui réclamer plus de pistes cyclables.

Vocabulaire à retenir

le premier bilan	appliquer une mesure
le piéton	empêcher qu'un de…
la grande surface	éliminer
le bilan des dégâts	diminuer
la piste cyclable	revendiquer
la bagnole	réclamer
le défilé	défiler
l'allée des bus (f)	licencier
la solution idéale	contourner
être renversé	flâner
tiraillé entre	rouler à vélo
ras-le-bol	en sécurité
	en hausse

---

17 Vos réactions

Êtes-vous vélorutionnaire? Répondez à notre petit test
en cochant la phrase qui se rapporte à vous.

---

1 La dernière fois que vous avez fait du vélo, était-ce:
a il y a au moins un an? **c** ce matin?
b il y a quelques semaines **d** jamais?

2 Savez-vous:
● enlever la roue d'un vélo? oui/non
● réparer un pneu crevé? oui/non
● ajuster la selle? oui/non

3 Il n'y a pas de pistes cyclables dans votre ville.
Trouvez-vous que:
a c'est mieux car les cyclistes gênent la circulation?
b ce serait une bonne idée d'aménager quelques
pistes cyclables, mais pour vous, ce n'est pas une
priorité?
c c'est scandaleux et vous organisez une
manifestation afin d'attirer l'attention des pouvoirs
publics?

4 Vous roulez à vélo dans une rue encombrée. Aux
feux est-ce que:
a vous descendez de votre vélo pour laisser passer
les voitures?
b vous serrez à droite pour ne pas trop gêner les
voitures?
c vous vous tenez au centre de la file, obligeant les
voitures à vous suivre?

5 Possédez-vous:
a une vieille bécane rouillée héritée de votre grand-
mère?
b une bicyclette classique à trois vitesses?
c une bicyclette de course ou VTT (vélo tous terrains)?
d aucune bicyclette?

6 Le vélo pour vous, est-ce:
a un objet auquel vous pensez avec nostalgie de
temps en temps?
b un moyen de transport économique?
c votre meilleur ami?
d un instrument de torture?

Calculez votre score:
a = 1 point **c** = 3 points
b = 2 points **d** = 0 point

Pour la question 2, accordez-vous 1 point pour chaque
réponse positive.

● 16 à 18… Vous êtes un(e) vélorutionnaire
confirmé(e) – attention, votre zèle pourrait finir par
lasser votre entourage!
● 11 à 15… Vous avez de la sympathie pour la petite
reine, mais la chair est faible: n'oubliez pas que faire
plus de vélo profite à l'environnement ainsi qu'à
votre forme physique.
● 6 à 10… Le vélo ne fait pas partie de votre vie:
c'est peut-être le moment de le découvrir.
● 2 à 5… Savez-vous ce qu'est un vélo?

FAITS DIVERS ⑦

Les faits divers sont des événements de la vie quotidienne qui peuvent être dramatiques, distrayants, insolites. Ceux de ce dossier sont des «sujets de divertissement» qu'on garde pour terminer le journal sur une note amusante.

La stratégie du dossier: imaginez des rapports entre l'ordinaire et l'extraordinaire

Dans les trois faits divers de ce dossier, on vous parlera de choses banales – des fleurs, un poisson rouge, un saladier – mais dans des contextes inattendus! La stratégie pour ce dernier dossier? Imaginez des contextes bizarres pour des choses ou faits très ordinaires.

▶ Reportage télévisé 7A

📺 La gastronomie aux fleurs

1 Préparez-vous!
Le contexte: la gastronomie
L'objet: les fleurs
1 Faites une liste d'utilisations que vous pouvez imaginer pour les fleurs dans la gastronomie. Par exemple: *décorer les tables*.
2 Regardez maintenant le reportage sur les fleurs pour comparer vos idées aux informations que le reportage vous apporte.

2 Pour comprendre l'essentiel
Répondez aux questions suivantes:
1 **Où est-ce que** l'on peut découvrir la gastronomie aux fleurs?
2 **Pourquoi** utiliser des fleurs dans la cuisine?
3 **Dans quelles conditions** sont cultivées ces fleurs?

3 Vérification
Trouvez le mot employé dans le reportage pour remplir les blancs:

Les cuisiniers sont toujours à la recherche de nouvelles _____(1) et de nouveaux _____ (2). Tous les plats sont __ (3) à partir de recettes florales. Cette cuisine riche en goût, ____ (4) en calories n'est cependant pas une nouvelle méthode d'_____ (5). La cuisine aux fleurs, c'est _____ (6) c'est ___, (7) alors pourquoi _____ (8)? Toutes les fleurs ne sont pas_____ (9). Elles proviennent de cultures ____ (10) ou à l'abri des ___ (11). Les fleurs _____ (12) aussi en vin.

se dégustent	pesticides	saveurs
bon	comestibles	biologiques
amaigrissement	cuisinés	s'en passer
beau	pauvre	ingrédients

4 Les témoins
Regardez la deuxième partie du reportage et notez les réactions des cinq témoins.

5 Vos réactions
👥 Lisez les affirmations suivantes: laquelle correspond le mieux à votre opinion personnelle? Discutez-en avec d'autres étudiants.
1 J'aime manger des plats exotiques: j'aimerais goûter à la cuisine aux fleurs.
2 En général, je n'aime pas les salades, donc je ne pense pas que j'aimerais la cuisine aux fleurs.
3 Donnez-moi un bon plat de steak-frites! Assez de cette cuisine trop décorative!
4 La cuisine aux fleurs m'inspire – j'essayerai de mettre des fleurs dans mes plats.

Le point sur la langue:

Cherchez dans une grammaire des détails sur l'emploi des prépositions **à** et **de**. Notez leur emploi dans les descriptions des plats, données par la journaliste au début du reportage:

> salade **de** haricots verts
> magrets **de** canard **aux** capucines
> beignets **aux** fleurs **de** courgette
> meringue **à la** lavande

Contrôle
1 Quand utilise-t-on **de** et **à** + article défini (au, à la, aux)? En étudiant les exemples donnés, essayez de formuler votre propre règle.
2 Ensuite appliquez-la en choisissant la forme qui convient sur cet exemple de menu:

MENU

Hareng *aux/de* pommes de terre
Salade *de/aux* tomates

Truite *aux/d'*amandes
Escalopes *de/à la* dinde *au/de* céleri
Côtelette *de/au* porc *aux/d'*abricots

Tarte *de/aux* pommes
Salade *de/aux* fruits
Baba *de/au* rhum

63

GASTRONOMIE: CES FLEURS QU'ON DÉGUSTE

a gastronomie est en fleurs. En salade ou en accompagnement, bleuets, pensées, soucis, bégonias ou marguerites sont au menu des plus grands restaurateurs. La mode vient de Bretagne, lancée par un groupement commercial de producteurs du Finistère spécialisés dans la «création pour la haute restauration». Aux capucines et fleurs de courgettes, produites depuis huit ans, s'ajoute depuis quelques mois une gamme complète d'une douzaine de fleurs.

A la vérité, rien de vraiment nouveau. Tout le monde connaît les confitures de rose ou ces épices qui proviennent de fleurs, tel le safran (crocus). Pour les fleurs qui semblent plus originales, il ne s'agit en fait que de redécouvertes. «On mangeait déjà la plupart d'entre elles dans certaines régions, explique François Le Lagadec, directeur de la société bretonne, comme les capucines à Lyon ou la fleur de courgette entre Gênes et Nice.» Fauchon, Marks & Spencer ont ainsi mis de la couleur dans leurs rayons. Et des chefs du monde entier dans leurs assiettes. Comme Hervé Rumen, chef du «Lous Landes», dans le 14e arrondissement à Paris: «J'en utilise quand mes plats sont moins vivants. Je mets des petits pétales dans les salades, c'est beau et cela apporte une touche sucrée.» Avec les fleurs, la part de rêve est dans l'assiette. Au prix du luxe: 25 à 30F les 2g chez Fauchon*.

* C'est un magasin alimentaire de luxe à Paris

Le Point, 10 juillet 1993

Recettes Florales

Salade composée aux fleurs de capucine

Ingrédients:
1 boîte de maïs
100g de champignons coupés
1 laitue découpée
2 tomates en morceaux
1 échalotte, hachée très fin
persil haché
vinaigrette à la moutarde

Pour faire la salade:
1 Tourner.
2 Ajouter les fleurs de capucines.
3 Arroser de la vinaigrette.
4 Mettre tous les ingrédients (sauf les fleurs) dans un saladier.

Beignets aux fleurs de courgette

Ingrédients:
Utilisez des fleurs de courgette très fraîches.

Pour la pâte:
2 œufs
150g de farine
poivre et sel
1 pincée de bicarbonate de soude

Pour faire la pâte:
1 Poivrer et saler.
2 Ajouter une tasse d'eau avec le bicarbonate de soude, puis la farine.
3 Battre les œufs.
4 Mélanger jusqu'à obtenir une pâte à crêpe légère.

Pour faire les beignets:
1 Les poudrer de sel fin et les servir brûlants en hors d'œuvre.
2 Les tremper dans la pâte à frire, puis dans de la friture très chaude.
3 Éponger les fleurs de courgette. Ne pas les laver sauf si c'est nécessaire.
4 Laisser dorer les beignets.
5 Les égoutter.

▶ Texte

📖 Gastronomie: ces fleurs qu'on déguste

6 Lecture rapide
Répondez à cette question: La cuisine aux fleurs est-ce quelque chose de nouveau?

7 Lecture approfondie
1 Qui relance la mode de la cuisine aux fleurs?
2 Combien de fleurs sont proposées par ces entrepreneurs?
3 Qui sont leurs clients?
4 Pour quelles raisons le chef du Lous Landes utilise-t-il des fleurs?
5 Ces fleurs sont-elles chères?

▶ Texte

📖 Recettes florales

8 Lecture rapide: vos réactions
Trouvez-vous ces recettes appétissantes? Pourquoi?

9 Lecture approfondie
Vous remarquerez en lisant ces recettes à fleurs que les consignes sont présentées en désordre. Ré-écrivez-les!

▶ Activités orales et écrites

10 Présentation
Préparez un menu et présentez-le à la classe.

11 Recette
✒ Vous créez des plats à fleurs. Rédigez une recette.

12 Brochure
✒ Rédigez une brochure de publicité pour la société de M. Le Lagadec.

13 Lettre
✒ Vous travaillez dans un grand restaurant. Le chef s'intéresse à la cuisine aux fleurs et vous demande d'écrire une lettre à M. Le Lagadec pour avoir des renseignements concernant les sortes de fleurs en vente; les prix; la manière dont elles sont expédiées.

Vocabulaire à retenir

la saveur	maigrir
l'ingrédient (m)	se passer de…
le plat	arroser
la gamme	ajouter
la recette	déguster
la méthode d'amaigrissement	mélanger
à l'abri des pesticides	battre
c'est bon/fin/bizarre	tourner (une salade)
biologique	à l'abri des pesticides

▶ Reportage télévisé 7B

📺 L'histoire d'un poisson rouge

1 Préparez-vous!
Le contexte: la microchirurgie
L'objet: un poisson rouge

Quel rapport peut-il y avoir entre un poisson rouge et la microchirurgie? Faites une liste de vos idées et ensuite regardez le reportage pour la compléter.

2 Expressions-clé
Retrouvez des expressions employées dans ce reportage en faisant correspondre les verbes de gauche avec leur complément, comme dans l'exemple. Attention: il y a parfois deux possibilités.

nager	le poisson
perdre	une opération
retrouver	à l'envers
réaliser	un harnais
fabriquer	à l'endroit
rééduquer	l'équilibre
radiographier	

3 Pour comprendre l'essentiel
1 **Quel** est le nom du poisson?
2 **Pourquoi** fallait-il l'opérer?
3 **Pourquoi** l'opération était-elle particulièrement difficile?
4 **Pourquoi** le vétérinaire a-t-il dû fabriquer un harnais pour le poisson?
5 **Quelle** est la réaction du propriétaire?

4 En particulier
1 **a** Retrouvez ce que dit le vétérinaire:

```
«Ce poisson avait/qui contrebalançait
l'effet/une poche d'air/Nous avons donc
assisé/de telle manière que/cette poche
d'air/l'animal reprenne son équilibre
normal/de la vessie natatoire/et puisse
nager tout à fait normalement.»
```

   b Quel est le style de langage du vétérinaire? Peut-on l'identifier au français de tous les jours?
2 L'expression *ils n'en sont pas revenus* veut-elle dire:
   a ils sont partis?
   b ils ont été très surpris?
   c ils ont eu peur?
3 Quels sont les animaux admis à cette clinique et celui qui ne l'est pas?

5 Vérification

1 Trouvez les expressions de l'histoire du poisson rouge pour remplir les blancs:

1 Le vétérinaire fait faire un examen r____ (1) au poisson et décide de l'o_____ (2).

2 Son p____ (3) l'amène voir le vétérinaire.

3 Le vétérinaire fabrique un h_____ (4) lesté de billes en innox.

4 Après l'intervention, il faut ré-_____ (5) le poisson.

5 Muni de son harnais, le poisson nage de nouveau à l'_____(6).

6 Le propriétaire du poisson n'en est pas r____ (7): «Ça m'a semblé énorme» a-t-il déclaré.

7 C'est l'histoire d'un poisson rouge qui nageait à l'___ (8).

8 Mais ce n'est rien d'exceptionnel pour cette clinique où seules les p__ (9) ne sont pas admises.

2 Remettez les phrases dans le bon ordre.

3 Racontez de mémoire l'anecdote à un autre étudiant.

6 Vos réactions

Que pensez-vous du fait que ce reportage soit passé à la télévision nationale?

D'après vous les animaux laissent-ils les Français indifférents? Sont-ils une passion? Sont-ils respectés? Justifiez votre réponse.

▶ Texte

📖 Les Français et leurs animaux

7 Répondez au questionnaire suivant:

1 Quel pays européen compte le plus grand nombre:
1 d'animaux familiers?
2 de chiens?
3 de chats?

a La France	c La Belgique
b L'Angleterre	d L'Irlande

2 Quelle section de la population française possède le plus grand nombre d'animaux domestiques?
a les retraités?
b les jeunes couples?
c les familles nombreuses?

3 Pendant les années 1970 le nombre d'animaux familiers en France a-t-il:
a augmenté?
b diminué?

4 Pourquoi posséder ou non un animal domestique? Donnez des raisons:
a pour
b contre

8 Comparez vos réponses à celles du texte.

▶ Texte

📖 Chasse au tigre dans les rues de Mulhouse

Encore un fait divers insolite concernant cette fois un tigre… ou plutôt une tigresse.

9 Lecture rapide

Les paragraphes de l'article sont présentés dans le désordre. Retrouvez le bon ordre.

10 Lecture approfondie

1 Voici les *personnages* de l'histoire. Quel rôle jouent-ils?

a deux tigres
b M. Ziegler
c un berger allemand
d un vétérinaire
e M. Jean-Marie Bockel
f le Lieutenant Denis Jacob
g le Commandant Buecher
h des pompiers
i des policiers

2 Voici les *endroits* mentionnés dans l'article. Que se passe-t-il dans ces différents endroits?
a 73 rue de la Première Division Blindée
b les rues du Rebberg
c 23 rue de l'Argonne

3 Voici les indications de *temps*. Que se passe-t-il à ces différents moments?
a ce vendredi après-midi
b peu après 19h
c vers 22h
d vers 23h

Après avoir reconstitué l'histoire du fait divers, racontez l'anecdote de mémoire!

11 Exercice de vocabulaire

1 Le journaliste emploie dans ce texte pas moins de six expressions pour parler du tigre. Retrouvez-les. Pourquoi employer ainsi des synonymes?

2 Pour chacune des expressions suivantes, choisissez la définition qui vous semble la meilleure:
a semer une belle panique (paragr. 7)
  i créer une situation chaotique
  ii s'affoler
  iii courir très vite
b se dégourdir les pattes (paragr. 6)
  i bouger, se promener
  ii faire la chasse
  iii manger
c faire copain-copine (paragr. 3)
  i manger ensemble
  ii se comporter en ami
  iii garder ses distances

3 Souvent on termine une anecdote par une phrase qui la résume. Choisissez parmi ces trois expressions populaires celle qui résume le mieux l'histoire de la tigresse.
a Chassez la nature, elle revient au galop.
b Quand le chat n'est pas là, les souris dansent.
c Tout est bien qui finit bien.

Les Français et leurs animaux

Présence

58% des foyers possèdent un animal familier (record d'Europe):
69% d'entre eux ont un chien, 44% un chat, 12% des oiseaux, 6% des poissons.

La France compte 10 millions de chiens (un foyer sur trois) et 7 millions de chats (un foyer sur quatre). Il faut y ajouter environ 9 millions d'oiseaux (un foyer sur dix), 8 millions de poissons, 2 millions de lapins, hamsters, singes, tortues, etc. La France est en Europe le pays qui compte globalement le plus d'animaux familiers, avec l'Irlande (qui le devance pour les chiens) et la Belgique (pour les chats). Leur nombre s'est surtout accru pendant les années 1970 : on comptait 16 millions de chiens, chats et oiseaux en 1971 et 24,3 en 1979. Il est depuis resté stable aux environs de 25 millions.

Contrairement à une idée répandue, les inactifs habitant en ville, retraités ou non, sont ceux qui possèdent le moins d'animaux de compagnie (un foyer sur quatre seulement) ainsi que les couples sans enfant. Le taux de possession croît régulièrement avec la taille de la famille : 75% des familles de cinq personnes et plus ont un animal

Relations

Les animaux jouent un rôle affectif auprès des enfants et des adultes.

Chez les enfants, les chiens, chats, hamsters ou tortues sont le moyen de faire éclore des sentiments de tendresse qui pourraient autrement être refoulés. Pour les adultes, les animaux sont des compagnons avec lesquels ils peuvent communiquer sans crainte et partager parfois leur solitude. Les chiens jouent aussi un rôle de sécurité : ils sont de plus en plus utilisés comme moyen de défense ou de dissuasion contre la délinquance.

Dans une période où la décision d'avoir des enfants est difficile à prendre, celle d'avoir un animal la précède souvent : elle peut même dans des cas particuliers en tenir lieu. Ainsi, beaucoup de jeunes couples commencent par adopter un chien, moins exigeant qu'un enfant, moins coûteux à entretenir, plus facile à faire garder lorsqu'ils veulent sortir. Bien que les deux phénomènes ne soient évidemment pas comparables, on constate qu'il y a en France deux fois plus d'animaux familiers que d'enfants.

➤ Les raisons invoquées pour ne pas posséder un animal sont : les contraintes (38%); le manque de place (33%); le manque de temps (33%).

Francoscopie, 1993 (Larousse), G. Mermet

LES FAITS DIVERS

Chasse au tigre dans les rues de Mulhouse

1 La tigresse endormie, qui pesait tout de même cent trente kilos, a été transportée dans un filet par trois pompiers jusqu'à la camionnette qui l'avait amenée chez M. Ziegler. Celui-ci a retrouvé sa féline vers 23h. Il a fait visiter son enclos aux policiers qui ont pu constater que l'installation était sûre.

2 Alors, pendant que son compagnon s'installait sagement chez le riche photograveur amoureux de félins, elle a sauté de la camionnette qui l'avait amenée sur place et a échappé au vétérinaire venu l'accueillir. En ce vendredi après-midi, la cavalcade a commencé dans la propriété, mais le spécialiste animalier, un peu dépassé, n'est pas parvenu à endormir la tigresse avec son vieux pistolet hypodermique.

3 Ce sapeur-pompier volontaire est le spécialiste des animaux fugueurs et dangereux dans le Haut-Rhin. Il dispose de tout un arsenal d'armes tirant des seringues hypodermiques. Il ne compte plus ses interventions contre des chiens devenus fous ou des vaches errantes. Alors que la tigresse faisait sans aucun problème copain-copine avec le berger, son premier tir de seringue a été le bon.

4 «Nous l'avons suivie à la trace dans les rues, raconte le lieutenant Denis Jacob, l'un des pompiers-traqueurs. Tout le commissariat était avec nous. Le propriétaire nous avait dit que cette bête de 2 ans était dressée, accoutumée aux humains, mais nous ne pouvions prendre aucun risque. Vers 22h, nous l'avons vue entrer dans une grande propriété au 23, rue de l'Argonne.»

5 Alors, peu après 19h, comme la fugueuse rayée quittait le parc de M. Ziegler, le vétérinaire a prévenu les pompiers et les policiers. La chasse au tigre commençait dans les rues désertées du quartier chic du Rebberg, où s'alignent de grandes propriétés. Cortège de voitures de police, camions de pompiers faisant hurler leur «deux-tons» : le safari a réveillé le quartier qui s'endormait.

6 Le parc de la maison de Pierre Ziegler, au 73, rue de la Première Division Blindée, dans le quartier résidentiel de Mulhouse, plaisait bien à la jeune tigresse. Mais elle avait envie de se dégourdir les pattes avant de pénétrer dans son nouvel enclos. On a beau être née en France, on a tout de même besoin d'aventure.

7 *Le félin, acheté par un riche particulier, est parvenu à s'échapper, semant une belle panique en ville pendant quelques heures.*

8 Le maire, Jean-Marc Bockel, a rejoint les chasseurs pour accueillir cette visiteuse originale. «Quand nous sommes entrés dans le parc, nous avons vu la tigresse allongée près d'un berger allemand, reprend le lieutenant. Nous avons appris par la suite qu'elle avait été élevée avec un de ces chiens. C'est là que le commandant Buecher est entré en action.»

9 L'enquête sur l'achat des deux tigres n'a révélé aucune violation de la convention de Washington (qui interdit l'importation d'espèces protégées depuis leur pays d'origine) puisque la fugueuse et son compagnon sont nés dans une ménagerie française.

Le Parisien, 6 janvier 1992

Le point sur la langue

Révisez **les temps du passé** dans votre grammaire et comparez leur utilisation dans ce texte:

Imparfait	Le parc **plaisait** bien à la jeune tigresse. Elle **avait** envie de se dégoudir les pattes. Alors que son compagnon **s'installait** sagement…
Passé composé	elle **a sauté** de la camionnette qui…
Plus-que-parfait	l'**avait amenée** sur place.

Contrôle

Voici un résumé de l'histoire de la tigresse. Mettez les verbes à l'infinitif (entre parenthèses) au temps qu'il faut: (imparfait, passé composé ou, plus-que-parfait)

1 Hier soir vers 20h, M. Henri Ziegler a accueilli dans sa propriété, dans un faubourg de Mulhouse, deux tigres qu'il (*acheter*) d'un parc animalier. Tout de suite en arrivant, l'un d'entre eux, une tigresse, (*décider*) d'aller faire un tour en ville. Malgré les efforts d'un vétérinaire qui (*se trouver*) sur place, elle (*s'échapper*) du parc de M. Ziegler et (*se diriger*) vers le quartier chic du Renneberg.

2 Vers 21h les rues de Renneberg (*être*) bien sûr désertées, les habitants des grandes maisons regardant sans doute la télévision. Mais tout d'un coup le quartier (*être*) réveillé par le deux-tons d'une voiture de police. Les policiers (*être*) à la recherche d'un tigre! Le spécialiste des animaux fugueurs, le Commandant Buecher (*être*) là aussi avec son pistolet hypodermique!

3 En effet, tout de suite après l'évasion de la tigresse, le vétérinaire (*prévenir*) les policiers. Il leur (*expliquer*) que la tigresse (*être*) accoutumée aux humains. Cependant pour ne pas prendre de risques, les policiers (*demander*) au Commandant Buecher de les accompagner.

4 Les policiers (*suivre*) la tigresse jusqu'à la rue de l'Argonne, où elle (*entrer*) dans une grande propriété. C'est là que le Commandant Buecher (*réussir*) à endormir la bête. Trois pompiers (*raccompagner*) la tigresse chez elle pour retrouver le compagnon qu'elle (*abandonner*) quelques heures auparavant!

▶ Activités orales et écrites

12 Présentation
Si vous étiez un animal, quel animal seriez-vous? Expliquez votre choix.

13 Discussion
Choisissez un animal domestique pour les personnes suivantes. Expliquez votre choix à la classe.

1 Arlette Rémy a 65 ans. Elle est veuve. Elle habite un appartement de trois pièces à Paris. Elle est allergique aux chats. Elle veut un animal domestique pour lui tenir compagnie.

2 Étienne Leclerc a 35 ans. Il est célibataire. Il habite à la campagne, mais travaille comme journaliste, ce qui fait qu'il n'a pas de rythme de travail régulier. Il se spécialise dans des reportages en milieu criminel.

3 Richard Belaud a 45 ans. Il est père de trois enfants. Il habite avec sa femme dans une maison à la périphérie de Lyon. Ils ont un grand jardin. Il n'est pas du tout sportif. Ses centres d'intérêt sont plutôt le théâtre et la musique.

4 Cécile Collard a 25 ans. Elle habite dans une petite maison à Pau. Elle travaille à mi-temps comme professeur de gymnastique. Elle passe souvent le week-end chez ses parents dans un village dans les Pyrénées.

14 Article de journal
Rédigez l'histoire du poisson rouge sous forme de fait divers pour le journal local de Nice. Voici le titre de l'article.

Nice-Soir
Jeudi 27 Octobre 1992

Opération renversante sur un poisson rouge

Vocabulaire à retenir

l'animal {domestique (m)	rééduquer
{familier	retrouver l'équilibre
{de compagnie	en revenir de
le propriétaire	partager
l'opération (f)	adopter
le vétérinaire	nager {à l'envers
le moyen de défense	{à l'endroit
coûteux	perdre le sens de
exigeant	l'équilibre
	réaliser
	semer une belle
	panique
	s'échapper
	se dégourdir {les pattes
	{les jambes

▶ Reportage télévisé 7C

📺 La méthode du saladier

1 Préparez-vous!
Le contexte: des leçons de natation
L'objet: un saladier

Faites une liste des fonctions que peut avoir un saladier dans des leçons de natation. Ensuite regardez le reportage pour la compléter.

2 Expressions-clé
Retrouvez des expressions employées dans ce reportage en faisant correspondre les verbes de gauche avec leur complément, comme dans l'exemple. Attention: il y a parfois deux possibilités.

apprendre   la respiration
plonger   les Beatles
maîtriser   la tête dans un saladier
côtoyer   à nager
enlever   des conférences
progresser   rapidement
donner   la peur
       à respirer

3 Les images
1 Regardez ce reportage *sans* le son et prenez des notes pour décrire: Pierre Grunberg; sa méthode pour apprendre la natation; ses élèves; l'hôtel Bel-Air.
2 Regardez le reportage *avec* le son et notez sous les mêmes rubriques les informations complémentaires que le commentaire vous apporte.
3 Quelle est la source d'information la plus importante: les images ou le commentaire du journaliste? Justifiez votre réponse.

4 Les témoins
1 Pour les deux «élèves» interrogés, quels sont les résultats des leçons?
  a La vieille dame   **b** La jeune fille
2 Quelle est l'anecdote que raconte Pierre Grunberg concernant la famille de Charlie Chaplin? Il parle des sujets suivants: les enfants, trop de progrès, acheter l'hôtel Bel-Air, arrêter les leçons.

5 Vérification
Remplissez les blancs avec les expressions du reportage indiquées plus bas.

Si vous avez peur de _____(1), si vous ne savez pas _____(2) , si vous voulez _____(3), il suffit de _____(4) la tête dans un _____(5) pour mieux _____(6) votre respiration sous l'eau! C'est la méthode originale ___(7) par Pierre Grunberg ___(8) à l'hôtel Bel-Air de St Jean Cap-Ferrat. Après quelques leçons, vous _____9) mieux et vous vous sentirez plus ___(10) dans l'eau . C'est une méthode simple et efficace!

nager	saladier	maître-nageur
à l'aise	respirerez	apprendre
l'eau	mise au point	
plonger	maîtriser	

6 Vos réactions
1 Savez-vous nager? Comment avez-vous appris? Est-ce que c'était difficile? Auriez-vous aimé avoir des leçons de natation avec Pierre Grunberg?
2 Si vous en aviez les moyens, aimeriez-vous passer vos vacances dans un hôtel comme l'hôtel Bel-Air? Pourquoi?

▶ Activités orales et écrites

7 Interview
👥 Vous interviewez Pierre Grunberg pour un magazine de loisirs. Quelles questions allez-vous lui poser? Travaillez à deux pour réaliser l'interview et ensuite rédigez l'article.

8 Enquête et article
👥 Quel genre de sport aimez-vous pratiquer pendant les vacances d'été? Faites une enquête dans votre classe et rédigez les résultats sous forme d'article à insérer dans un magazine de jeunes.

Vocabulaire à retenir

le saladier	côtoyer
mise au point	respirer
le maître-nageur	familiariser
le toboggan	progresser
le tir à l'arc	donner des
le VTT (vélo tous terrains)	conférences
	maîtriser
	apprendre à plonger

CORRIGÉ

▶ INTRODUCTION

1 1 6; **2** 3; **3** TF1 et F2 à 20h; **4** TF1 et F2; **5** Canal +; **6** M6; **7** M6 (Six minutes) et Canal + (Flash infos)

2 TF1 45,0%; M6 10,9%; Arte 2,0%

6 1 la présentatrice de *Télé-Textes*; **2** maîtrise en sciences politiques et diplôme de journaliste; **3** elle s'intéressait à beaucoup de choses; **4** a; **5** préparer le sujet et son commentaire; **6** raconter les faits et enquêter sur l'expérimentation animale en général; **7** laissez parler les images; **8** les images

8 8, 11

▶ 1 INTEMPÉRIES

1A Inondations en Corse

2 8

3 1 2 morts, 7 disparus; **2** c; **3** le village est défiguré, le pont et la route ont été détruits, des maisons ont été dévastées, des voitures ont été submergées

4 1 e; **2** d; **3** b; **4** g; **5** a; **6** c; **7** f

5 2 pendant 48h; **3** ils ne veulent pas parler de leurs experiences; **5** il demande de l'aide

6 1 des habitants grimpés sur un pont détruit pour traverser une rivière; **2** des habitants en groupe sur des rochers/des habitants qui se consolent; **3** une jeune fille immobile dans les décombres; **4** deux jeunes gens emportant un réfrigérateur; **5** une femme sortant de sa maison, une photo à la main/une famille de quatre personnes (la mère en larmes); **6** le maire de St Lucie parlant à la foule

7 1 bouleversé; **2** aidez-nous, aidez-nous, courage, tâche, concitoyens, perdu, employé, 40, deux, dingue

9 1 Carbini; **2 a** 1, **b** 2, **c** 3, 4, 5, **d** 6

10 1 foyers; **2** privés d'électricité; **3** l'eau potable; **4** la centrale EDF; **5** des denrées alimentaires; **6** élus; **7** s'aggraver

11 1 **b** emportés, **c** maisons, **d** centrale EDF a été; **2 a** totalement isolée, **b** privés, **c** d'eau potable; **3** apporter des ponts transportables; **4** ils distribuent de la nourriture en hélicoptère; **5** Carbini est isolé, sans eau ni électricité; **6** évaluer les dégâts et demander l'aide nationale; **7** selon la météo le temps va se détériorer demain

12 1 c; **2** d; **3** f; **4** a; **5** b; **6** e

Le point sur la langue

1 **b** a été coupée, **c** ont été bloqués, **d** ont été distribuées, **e** ont été emportés, **f** a été annoncée; **2** non, ce sont des verbes au passé composé avec l'auxiliaire «être»

1B Chutes de neige inattendues

2 1 4

3 1 a; **2 a** chutes de câbles à haute tension, **b** le traffic ferroviaire a été interrompu, **c** ils sont privés d'électricité

4 1 c; **2** e; **3** d; **4** a; **5** b

5 1 l'autoroute a été fermée à cause de chutes de câbles à haute tension; **4** ils attendent du matériel de Montpellier

6 1 son entreprise est fermée; **2** il a un groupe électrogène; **3** il ne peut pas chauffer ses serres; **4** elle n'a pas d'électricité chez elle

8 (1) privés; (2) haute tension; (3) poids; (4) enflammé; (5) chauffage; (6) obligée; (7) perturbée; (8) coupures; (9) bloquées; (10) ferroviaire; (11) pâtissier

9 1 non, la neige est prévue dans le nord-est, pas en Rhône-Alpes; **3 a** ... votre cache-nez car il y aura de la neige, **b** ... votre short car il fera beau, **c** ... votre parapluie car il y aura de la pluie, **d** ... votre manteau car il y aura du vent

10 1 CG; **2** FS; **3** MR; **4** MR; **5** ND; **6** GS; **7** FS; **8** ND

11 1 des bouchons, des encombrements; **2** un coteau; **3** ça me mettrait de bonne humeur; **4** tout était rentré dans l'ordre; **5** mon domicile; **6** j'ai mis deux heures; **7** à plusieurs reprises; **8** précoces

▶ 2 TOURISME

2A La nouvelle campagne des stations de ski

1 3 **a** il n'est pas tombé beaucoup de neige, **b** plus de neige, les JO d'Albertville ont suscité beaucoup d'intérêt dans les sports d'hiver, **c** partir en vacances de ski est cher pour une famille

2 1 la saison s'annonce bien; **2** la neige tombe déjà et on va attirer plus de monde; **3** en offrant des réductions à des familles de quatre personnes ou plus

3 1 c; **2** e; **3** f; **4** b; **5** g; **6** a; **7** d

4 2 le quatrième membre d'une famille ne payera pas; **6** il y a déjà de la neige dans les Pyrénées

5 ... **toutes** les stations ... Du 19 au 26 décembre ... les leçons **et les remontées mécaniques** seront offerts ... 70% des touristes ... pour **la détente et les activités annexes** ... Les professionnels **sont optimistes**. Les réservations ... sont **déjà prometteuses** et la neige **a déjà commencé** à tomber

6 1 elles veulent proposer d'autres activités de détente à part le ski; **2** à cause des mauvaises saisons récentes; **3 a** 1, 2, 3, **b** 4, **c** 5, 6, 7, 8

7 1 centenaire; **2** la randonnée; **3** les «accrocs» de ski, les «mordus» de ski; **4** frappées de plein fouet; **5** accusent une nette récession; **6** les infrastructures; **7** des permanences d'accueil; **8** l'hébergement; **9** (monter) en flèche

8 1 **a** les clients étaient des amoureux de la nature, qui venaient pour la randonnée ou l'escalade, **b** on construisait des stations ultramodernes en béton, conçues uniquement pour les passionnés du ski; **2** le malheur: la récession récente provoquée par le manque de neige; les conséquences positives: cette récession pousse les professionnels de la montagne à changer de politique; **3** le but est de satisfaire toute la clientèle, pas seulement les passionnés du ski; **4** cacher le béton, reboiser, tracer des zones piétonnes; **5** des permanences d'accueil où l'information proposée sera en plusieurs langues; **6** des garderies, stages et centres de loisirs; **7** tout est organisé, moins cher

Le point sur la langue

1 **a** skiable, **b** alpin, **c** accueil, **d** accueillant, **e** reboiser, **f** chouchouter, **g** hébergement, **h** climatique, **i** garderie; **2 a** pied, piéton, **b** amour, **c** responsabilité, **d** promettre, promesse, **e** creux, creuser, **f** remonter, montée, **g** train, traîner, **h** inviter, invitation

2B La Corse, désertée par les vacanciers

1 2 il y a beaucoup d'espaces libres, il y a 400 km de plages de sable fin, le paysage et le climat sont très variés, on peut se baigner de mai à novembre

2 1 la saison ne s'annonce pas exceptionnelle; **2** moins de départs, nouvelles de grèves, de violence et de prix élevés qui découragent les touristes

3 1 les Français sont moins nombreux à partir; **2** la Corse n'a pas établi de stratégie touristique; **4** c'est aussi le problème des transports et des grèves; **5** la Corse a accueilli 20% de touristes de moins

4 1 c; **2** a; **3** g; **4** b; **5** f; **6** h; **7** e; **8** d

5 1 un tourisme de masse aux Baléares et de qualité à St Tropez; **2** un tourisme de masse mais aux tarifs élevés; **3** b; **4** belles vues, plages sauvages, villages rustiques

6 (1) nombreux; (2) erreurs; (3) établi; (4) qualité; (5) étalé;

(**6**) rentabiliser; (**7**) fait le plein; (**8**) tarifs; (**9**) violence;
(**10**) première activité

7 **a** 1 et 2, **b** 5, **c** 3 et 4, **d** 6 et 7

8 **1** comme réaction aux occupations étrangères, et aux conflits communautaires; **2 a** d'extrémistes politiques, **b** de malfaiteurs; **3** 1789; **4** l'Italie, l'Angleterre; **5** l'État investit deux fois plus, il y a deux fois plus de fonctionnaires, moins d'impôts; **6** pouvoirs de l'Assemblée régionale; **7** le bâtiment; **8** les fruits et légumes, la viticulture; **9** le tourisme; **10** le FLNC; **11** l'indépendance de la Corse; **12** l'insécurité décourage les investisseurs de l'extérieur

9 **1** une recrudescence; **2** s'emparer; **3** un fonctionnaire; **4** autonomie; **5** accueille; **6** clandestine; **7** thèses; **8** placer leurs fonds

▶ 3 LOISIRS ET CULTURE

3A Le karaoké

2 **1** c'est une mode de chanter japonaise; **2** les Français, surtout les jeunes; **3** dans des bars, des restaurants et des discothèques

3 (**1**) chanter; (**2**) micro; (**3**) écran; (**4**) catalogue; (**5**) lire; (**6**) juste; (**7**) faux; (**8**) ambiance conviviale

4 **1 a** 2, **b** 1, **c** 5, **d** 3, **e** 4, **f** 2; **2 a** 3; **b** 3, **c** 4, **d** 2

6 **1** d; **2** c; **3** b; **4** e; **5** a

7 **1 1** les Français achètent plus de disques de chanteurs français; **2** c'est Jacques Brel; **3** c'est un chanteur des années 1970, mais pas vraiment un chanteur pop

Le point sur la langue

a *il suffit* d'appuyer sur le bouton «play», **b** ...de mettre votre nom sur cette liste, **c** ...de leur donner un peu d'eau, **d** ...de manger moins, **e** ...de regarder dans l'annuaire, **f** ...d'une heure

10 restaurant, spécialités, ambiance, tous les soirs, animation, Menu, environ, anniversaires, à partir de

3B Le Solido: un cinéma 3D au Futuroscope

2 **1** un cinéma à écran géant où les films sont en 3D; **2** tout le monde; **3** c'est unique, nouveau, impressionnant

3 **1 a** écran géant de 800 m2, hémisphérique, englobe tout le champ de vision, **b** lunettes électroniques, à cristaux liquides, pilotées par infrarouge, **c** l'image n'a plus de cadre, on a l'impression de plonger dans une image 3D/en relief; **2** deux films en stéréo sont projetés sur un écran hémisphérique de 800m2. Le spectateur porte une paire de lunettes à cristaux liquides, pilotées par infrarouge. Ces lunettes permettent à chaque œil de percevoir alternativement une image: le cerveau reconstitue une image en relief

4 **1** c; **2 a** 1, **b** 2, **c** 4, **d** 3, **e** 3; **3** on croirait que *c'est* la réalité

6 ce sont des salles de cinéma spécialisées (réalité virtuelle, simulateurs, cinéma à écran circulaire) dans des supermarchés

7 **1** à cause de la concurrence des «parcs virtuels»; **2** Salle 1: des films sur écran géant, Salle 2: de la réalité virtuelle, Salle 3: des films à longueur de journée sur écran circulaire, Salle 4: des simulateurs de vol d'avions de chasse; **3** on change souvent les programmes, les prix sont bas, ces parcs ne prennent pas beaucoup de place

8 **1** un long métrage; **2** par informatique; **3** le chiffre d'affaires; **4** incitant le public à une grande fidélité; **5** le faible encombrement de ces parcs

3C Le rap au Festival de la Danse de Montpellier

2 **1** la MCR (Méga Cool Rap); **2** de la banlieue de Montpellier (la Paillade); **3** ils participent au Festival de la Danse de Montpellier

3 **1** ce sont des amateurs qui vont au lycée ou travaillent; **3** six heures par semaine; **4** ils collaborent avec le Festival de la Danse depuis 3 ans

4 en train de répéter dans leur cité; traversant un terrain vague; un membre du groupe parlant devant le terrain vague; descendant une pente, avec derrière, des tours; dans un fast food; sur les marches

du théâtre; donnant un spectacle sur la place centrale; sur scène à l'Opéra-Comédie de Montpellier

5 **1** Claire Chazal, la présentatrice, pour placer ce reportage dans un contexte social plus large; **2** un danseur MCR, son expérience; **3** J-P Montanari, directeur du Festival, l'avenir de la MCR

7 **1** 2; **2** 1; **3** 4; **4** 3; **5** 5; **6** 4

8 **1** ceux-là sont «funk», volent et se droguent. Les zulus ne sont pas violents. Ils cherchent à se réaliser positivement; **2** ancien chef de gang new yorkais, il a fondé «la nation zulu» après le meurtre de son ami; son message: se réaliser positivement par la danse, le graffiti, mais pas par la violence; **3** devenir plus sage; **4** de ne plus tagger; **5** pour montrer qu'on existe; **6** se consacrer à la musique; **7** c'est une émission en direct, de jeunes rappeurs sont invités à participer. Les auditeurs interviennent souvent. C'est un peu décousu, un peu chaotique; **8** les jeunes peuvent s'y exprimer librement; **9** le rap vient des États-Unis, mais en France, des banlieues ou du 18ème à Paris

Le point sur la langue

a caillera, **b** keums, **c** meuf, **d** tromé, **e** laisser béton, **f** la ziquemu

▶ 4 ÉVOLUTIONS SOCIALES

4A Le rapport Données Sociales 1993

1 **1** –; **2** +; **3** +; **4** +; **5** –; **6** –; **7** –; **8** –; **9** +

2 2, 5, 7

3 (**1**) a; (**2**) c; (**3**) b; (**4**) d

4 **1** oui, moins d'agriculteurs, plus de propriétaires; **2** oui, plus de qualification professionnelle et de chômage; **3** non, INSEE dit moins de consommation de pain et de pommes de terre; **4** oui, plus de chômage

Le point sur la langue

(**2**) on lisait plus; (**3**) on buvait plus de vin; (**4**) on mangeait plus de pain; (**5**) les femmes travaillaient moins à l'extérieur

5 **1** b; **2 a** 1, **b** 1, **c** 3, **d** 3, **e** 3 et 4, **f** 4, **g** 4, **h** 5, **i** 5, **j** 6; **3 a** 1, **b** 3, 4, 5, 6

6 **1 a** équipés, **b** niveau de vie moyen, **c** la santé, **d** longtemps, **e** instruits et mieux formés, **f** ouvriers; **2** elles ne seront pas assurées de voir leurs conditions de vie et de travail s'améliorer; **3** l'insertion des jeunes; **4** vivre en marge de la société sans travail; **5** femmes et étrangers; **6** b; **7** pessimiste; **8** puisque les inactifs augmentent, l'État n'aura plus assez de ressources pour subvenir aux besoins de tout le monde

7 **1** **2** diminuer; **3** une baisse; **4** s'aggraver; **5** augmenter; **6** une montée, **7** progresser; **8** une amélioration; **2** **1** montée, chute; **2** progressé; **3** augmenté; **4** amélioration; **5** diminué, baissé

4B La transformation de l'agriculture française

1 **a** 25%, **b** 25%, **c** 50%

2 **1 a** en ville, dans un quartier au nord de Tours, **b** oui, **c** non, il ne vit pas à la campagne; **2 a** à la périphérie d'une ville, **b** employée de banque, **c** non, elle travaille en ville

3 **1** James Robert: le fait qu'il vit en ville; **2** James Robert: être à l'extérieur dans les champs équilibre sa vie en ville; **3** Didier Renard: la ville gagne sur la campagne; **4** Sophie Renard: l'importance de son travail

4 (**1**) des céréales; (**2**) Tours; (**3**) une usine; (**4**) maraîcher; (**5**) à la périphérie; (**6**) visage; (**7**) habitaient; (**8**) pleine; (**9**) quatre; (**10**) aidaient; (**11**) 18%

5 **1** citadin; **2** chauffeur; **3** épouse; **4** usine

7 **1** les agriculteurs diminuent de 4 à 1 million, 3 sur 4 vivent près des villes; **2** elle va mal et les agriculteurs vont manifester; **3** c'est quand on quitte la campagne pour la ville. Conséquences: la fermeture des services, le chômage, le déclin des villages; **4 a** 1, **b** 2, 3, **c** 4, 5, 6

8 **a** pour attirer l'attention sur leurs difficultés économiques, **b** à cause de l'extension des villes vers la campagne, du manque de services et du travail de leur femme, **c** l'agriculteur a souvent deux métiers, un diplôme, de meilleures méthodes de production et de gestion

9 1 ceux-ci ... économiques; **2** en trente ans ... million; **3** les agriculteurs ... active; **4** dans une enquête ... rural; **5** cette évolution ... villes; **6** la formation agricole se généralise; **7** cette évolution ... française

4C La dernière mine de fer

2 1 les mineurs déversent du minerai de fer devant le haut fourneau de Moyeuvre pour protester contre la fermeture de la dernière mine de fer; **2** la dernière mine va fermer; **3** ils sont maintenant au chômage

3 1 1 c; 2 a; 3 d; 4 b; 5 f; 6 e; 2 1 la minette lorraine face aux minerais d'exportation; **2** la communauté de Moyeuvre. La principale activité économique de la ville a disparu avec la fermeture de la mine; **3** les mineurs qui ne prennent pas la retraite

4 1 a 2, b 4, c 3, d 1, e 2, f 4; 2 a 4, b 1, c 3, d 2; 3 Confédération Générale du Travail (syndicat)

5 ... située **près de Metz** ... au **seizième** siècle. L'année **1963** ... on comptait plus de **vingt mille** mineurs ... ils ne sont que **trois cent cinquante** ... de Mauritanie et du **Brésil** ... ces minerais sont **plus riches en fer, et** plus faciles à exploiter ... ont protesté en **abandonnant leurs machines dans les rues**

7 2 voici quelques idées... **a** les mineurs doivent se lever tôt, c'est un métier dur. Les syndicalistes luttent depuis longtemps, désespérément, **b** le côté associatif du syndicat des mineurs, c'est un endroit où il y a du café, **c** on ne voit pas les mineurs, on ne fait pas attention à eux, (silence et tristesse), **d** c'est un environnement dur, morne, qui repousse, qui rend malade, **e** il n'y a pas de confort, **f** c'est la dignité de ce mineur face au chômage, il ne se laisse pas aller au désespoir

8 1 b; 2 f; 3 c; 4 a; 5 e; 6 d

4D Une nouvelle formation pour les femmes

2 1 vendeuse de voiture; non: c'était un métier réservé aux hommes; **2** à l'Institut Féminin de la Vente Automobile à Fougères en Bretagne; elles y suivent un stage pour devenir vendeuses de voiture

3 1 d; 2 c; 3 e; 4 a; 5 b

4 4 les femmes sont triées sur le volet; 5 le stage dure six mois; 6 les stagiaires viennent de toute la France

5 1 a 32 ans, travaille depuis 1 an chez Citroën, b 39 ans, mère de quatre enfants

6 (1) touchés; (2) chuté; (3) persuasion; (4) performantes; (5) créer; (6) triées sur le volet; (7) théorique; (8) concessionnaires

9 1 b; 2 b

11 1 a accrocheuses, b une tournée, c fonder, d les constructeurs, e s'achève, f engager, g les chiffres de ventes; 2 ils pensaient qu'elle ne serait pas prise au sérieux

▶ 5 ENVIRONNEMENT

5A Une victoire contre les pylônes!

2 1 EDF propose de construire une ligne à haute tension dans la vallée du Louron; **2** ils sont tous contre; **3** pour: il est trop cher et trop compliqué d'enterrer la ligne; contre: cela défigurera le paysage, la beauté du paysage est importante pour le tourisme

3 1 g; 2 d; 3 e; 4 b; 5 f; 6 c; 7 a

4 2 le tourisme est l'activité économique principale; 3 c'est pour acheminer le courant en Espagne; 5 EDF refuse pour l'instant d'enterrer la ligne

5 1984: (on y fait allusion dans l'introduction); 1991: octobre – feu vert aux travaux; 1991: novembre – sursis à exécution

6 (1) traverser; (2) construite; (3) tribunal administratif; (4) sursis à exécution; (5) Espagne; (6) 400.000; (7) le feu vert; (8) soutien; (9) revoir

8 11992: août; 2 c

9 1 le public est plus critique; 3 des barrages, des centrales de production, des lignes de transport, les postes de transformation; **4** la grogne = a; les riverains = c; **5 a** les Pays-Bas, **b** la France; **6** à la traîne = b; **7** a; **8** non, parce qu'il concerne des lignes de 400.000 volts qui sont trop chères et trop difficiles à enterrer

10 1 c; 2 d; 3 f; 4 e; 5 a; 6 b

11 Aidez-nous!

12 1 a 2, b 1, c 3

13 1 réchauffement de l'atmosphère dû au dioxide de carbonne (gaz CO2); **2** les sources d'énergies qui ne s'épuisent pas (solaire, marémotrice, aolienne, hydraulique); **3** où l'on dépose des ordures pas surveillé et géré; **4** où l'on peut déposer des objets recyclables; **5** papiers et cartons recyclables

5B Le stockage des déchets radioactifs

2 1 l'État propose d'installer un laboratoire de recherche pour stocker des déchets radioactifs; **2** ils ont voté pour le laboratoire à 60%: mais d'autres habitants de la région sont contre; **3** c'est dangereux; **4** ça va donner du travail

3 1 c; 2 e; 3 b; 4 a; 5 f; 6 d

4 3 il y a beaucoup d'opposants au projet; 5 ce sera dans au moins un an

5 1 une habitante de Chatain, le maire, un manifestant s'opposant au projet; **2 a** l'habitante, **b** le maire, **c** le manifestant

6 ... connu pour **ses moutons** ... depuis quelques **jours** ... financé par **lui-même** ... Le résultat **a beaucoup surpris**: **60%** ... **Mais** d'autres habitants ... en brûlant **leur carte d'électeur**

8 2 en 1989–90, les riverains étaient contre le stockage; en 1993-94, ils sont beaucoup plus favorables, y voyant des possibilités d'emplois

9 1 c

10 1 la question du laboratoire leur semble plus importante; **2** un petit village endormi, une population vieillissante de moins en moins de services; **3** M. **Faudry**: pour, maire 62 ans, socialiste. La société doit traiter les déchets provenant de ses besoins énergétiques; le laboratoire est une chance pour l'emploi de la région; M. **Demézil**: contre, 60 ans, vice-président du comité opposé au projet, instituteur à la retraite: les informations sont insuffisantes; **J.L. Simonnet**: pour, chaudronnier au chômage. C'est une possibilité d'emplois; P. **Grollier**: pour, agriculteur, 26 ans: c'est une chance pour la région grâce aux subventions proposées; **Bruno**: contre, photograveur, 24 ans, habite Angoulême. Les emplois proposés ne profiteront pas aux habitants; les subventions ne dureront pas; **4** coups de téléphone anonymes menaçants

11 1 ce petit bourg ... la désertification; **2** à condition ... labo; **3** soixante millions de francs ... ans; **4** on va nous donner un peu de pognon (argent); **5** la Charente était à la décrue

Le point sur la langue

1 consulte; 2 puisse; 3 soyons; 4 fasse; 5 sachions; 6 soient; 7 m'achetiez

▶ 6 MANIFESTATIONS

6A Manifestation à Roissy

3 1 sur les routes d'accès à l'aéroport de Roissy; **2** en voiture et à pied; **3** les riverains de l'aéroport; **4** contre le bruit des avions et l'agrandissement de l'aéroport; **5** tout le monde qui veut accéder à l'aéroport

4 1 a; 2 c; 3 b; 4 c; 5 a; 6 a

5 a 3, calme, prévoyant, **b** 1, exaspéré, inquiet, **c** 4, amusé, **d** 2, irrité

6 ... hier **matin** ... protester contre **l'extension des pistes d'envol de l'aéroport** ... dans **dix** ans ... **quatre** fois plus ... Environ **trois cents** voitures ... **Une cinquantaine** de voyageurs **auraient** manqué leur avion, **mais la manifestation s'est déroulée dans le calme**. Interrogé **après** ... le non-respect des trajectoires **et des altitudes** ... les **350 000** habitants.

8 1 avant; **2** a, b, d
9 **1 a** j'ai une autoroute au-dessus de la tête, **c** je ne m'endors qu'avec des boules Quiès, **d** le bruit du Concorde a couvert le concert de musique classique, **e** il faut insonoriser les chambres et faire porter aux patients, des casques anti-bruit; **2** paragr. 2, ADP s'étonne; **3** paragr. 3; **4** paragr. 4, **b** la suppression des vols de nuit, **c** la construction d'un troisième aéroport en Picardie
10 (1) ras-le-bol; (2) survolent; (3) situé; (4) faits; (5) niveau; (6) insonoriser; (7) bruit; (8) nuisances aériennes; (9) suppression; (10) extension; (11) construction

6B Manifestation de cyclistes parisiens

2 2, 7
3 **1** dans les rues de Paris, de la place Bastille à la place de la Concorde; **2** à vélo; **3** les cyclistes de Paris; **4** pour réclamer davantage de pistes cyclables; **5** les automobilistes
4 **1** il n'y a que 3,7 km de pistes cyclables à Paris; **5** il précise qu'il faut deux axes, un axe est–ouest et un autre nord–sud; **6** l'ambiance est plutôt gaie
6 **1** c; **2** le début du reportage reprend la même phrase; **3** b; **4** c; **5** vélorution
7 (1) 1993; (2) voitures; (3) cyclistes; (4) envahisseur; (5) respirables; (6) offensive; (7) mobile; (8) roues; (9) oppressé; (10) revendiquait.
8 **1** fin février/début mars; **2** le centre-ville est interdit aux voitures; **3** a 2, b 3, c 4
9 **1** positif; **2** ils se sentent un peu perdus; **3** les seuils de pollution étaient en hausse; **4** non, parce qu'elle était dûe aux conditions météorologiques; **5** on peut flâner on respire mieux; **6** contre; **7** le nouveau plan éloigne les clients; **8** les clients feront leurs achats dans les supermarchés, les revenus des commerçants diminueront, ils se verront obligés de licencier du personnel; **9** on peut mieux y respirer, cette rue mérite bien son nom
10 **1** c; **2** f; **3** d; **4** e; **5** b; **6** a
11 **1a** 2, **b** 3 et 4, **c** 2
12 **1** c'est la solution idéale pour éliminer les embouteillages et pour diminuer la pollution; **2** c'est difficile à contrôler, les Français ne respectent pas les interdictions, difficile pour les gens seuls

Le point sur la langue
1 auraient continué; **2** n'auraient pas manifesté; **3** avaient bloqué ... se seraient mis; **4** n'avaient pas manifesté ... n'aurait fait

▶ 7 FAITS DIVERS

7A La gastronomie aux fleurs
2 **1** au Festival des Fleurs du Monde au Palais des Congrès à Paris; **2** c'est bon, beau, exotique; **3** dans des cultures biologiques, à l'abri des pesticides
3 (1) saveurs; (2) ingrédients; (3) cuisinés; (4) pauvre; (5) amaigrissement; (6) bon; (7) beau; (8) s'en passer; (9) comestibles; (10) biologiques; (11) pesticides; (12) se dégustent
4 1: c'est très bon; 2: c'est très bon, très fin; 3: pas trop, pas trop; 4: moi, j'aime pas; 5: très bizarre

Le point sur la langue
Hareng *aux* pommes de terres; Salade *de* tomates; Truite *aux* amandes; Escalopes *de* dinde *au* céleri; Côtelette *de* porc *aux* abricots; Tarte *aux* pommes; Salade *de* fruits; Baba *au* rhum

6 non, c'est une redécouverte
7 **1** des producteurs du Finistère en Bretagne; **2** une douzaine; **3** les grands restaurants, et supermarchés de qualité; **4** pour rendre ses plats plus vivants; **5** oui, à 25–30 francs les 20 grammes
9 salade: 4, 3, 1, 2 beignets: 3, 2, 4, 5, 1

7B L'histoire d'un poisson rouge
2 nager à l'envers/à l'endroit; perdre/retrouver l'équilibre; réaliser une opération; fabriquer un harnais; rééduquer le poisson; radiographier le poisson
3 **1** Carassin; **2** il nageait à l'envers; **3** on ne pouvait maintenir le poisson hors de l'eau plus de quinze secondes; **4** il fallait rééduquer le poisson; **5** il est très surpris
4 **1 a** ce poisson avait une poche d'air qui contrebalançait l'effet de la vessie natatoire. Nous avons donc assisé cette poche d'air de telle manière que l'animal reprenne son équilibre normal et puisse nager tout à fait normalement, **b** Le vétérinaire utilise des expressions spécialisées – *la vessie natatoire, assisé*; c'est le discours d'un professionnel qui donne une explication scientifique; **2** b; **3** tortues, mygales, hérissons, chauve-souris sont admis, pas les puces
5 **1** (1) radiologique; (2) opérer; (3) propriétaire; (4) harnais; (5) éduquer; (6) l'endroit; (7) revenu; (8) l'envers; (9) puces; **2** 7, 2, 1, 4, 3, 5, 6, 8
7 **1** 1 a; **2** d; **3** c; **2** c; **3** a; **4** a pour: leur rôle affectif, pour des raisons de sécurité, moins coûteux et exigeants qu'un enfant, **b** contre: à cause du manque de place et de temps
9 1 7 6 2 5 4 8 3 1 9
10 **1** la tigresse (a), a eté élevée avec un chien berger allemand (c). Les deux tigres (a) viennent d'être achetés par M. Ziegler (b). Elle a échappé au vétérinaire (d). J-M Bockel (e) est le maire. Denis Jacob (f) est un des pompiers traqueurs. Le Commandant Buecher (g) est spécialiste des animaux fugueurs et dangereux. Les pompiers (h) et les policiers (i) ont dû faire une chasse au tigre; **2 a** c'est où la tigresse aurait dû rester, **b** c'est où la chasse a commencé, **c** c'est la propriété où la tigresse est entrée; **3 a** la cavalcade a commencé dans la propriété, **b** le vétérinaire a prévenu les pompiers et les policiers, car la tigresse quittait le parc, **c** les pompiers traqueurs ont vu la tigresse entrer au 23 rue de l'Argonne, **d** M. Ziegler a retrouvé sa féline
11 **1** la féline, la tigresse, la fugueuse rayée, cette bête, cette visiteuse originale, la fugueuse; **2 a** i, **b** i, **c** ii; **3** c

Le point sur la langue
1 avait achetés ... a décidé ... se trouvait ... s'est échappée ... s'est dirigée; **2** étaient ... a été ... étaient ... était; **3** avait prévenu ... avait expliqué ... était ... avaient demandé; **4** ont suïvi ... est entrée ... a réussi ... ont raccompagné ... avait abandonné

7C La méthode du saladier
2 apprendre à nager/à respirer; plonger la tête dans un saladier; maîtriser la respiration; côtoyer les Beatles; enlever la peur; progresser rapidement; donner des conférences
4 **1 a** nage plus longtemps, **b** nage mieux, sans bouées; **2** P. Grunberg donnait des leçons de natation aux enfants de Charlie Chaplin qui ont fait tellement de progrès qu'ils ont demandé à leur père d'acheter l'hôtel Bel-Air. Chaplin a dû arrêter les leçons parce qu'il ne pouvait pas s'offrir l'hôtel.
5 (1) l'eau; (2) nager; (3) apprendre; (4) plonger; (5) saladier; (6) maîtriser; (7) mise au point; (8) maître-nageur; (9) respirerez; (10) à l'aise

TRANSCRIPTION

▶ INTRODUCTION

Sophie Guillaumin: Mesdames, Messieurs, Bonsoir. C'est par ces mots que s'ouvre tous les soirs le Journal de 20h sur TF1 – un rendez-vous quotidien avec l'actualité pour quelques dix millions de téléspectateurs… Les reportages que vous allez voir sont tous extraits du Journal de 20h de TF1. Ils sont classés selon des rubriques qui reviennent souvent dans l'actualité. Les intempéries, par exemple, avec des inondations en Corse et des chutes de neige inattendues en Rhône-Alpes… Ensuite le tourisme, avec une campagne pour attirer plus de monde dans les stations de ski, ou encore les problèmes de la Corse, désertée par les vacanciers. Sous la rubrique «loisirs et culture», vous découvrirez le karaoké mais aussi le rap, et un parc d'attraction, le Futuroscope de Poitiers. La transformation de l'agriculture et le déclin des mines de fer sont parmi les thèmes évoqués dans la section «évolutions sociales». L'environnement ensuite, avec des polémiques qui concernent la construction de lignes électriques ou le stockage de déchets nucléaires. Et puis dans la section «manifestations», nous avons également choisi deux reportages où il est question aussi de la protection de l'environnement. Enfin pour terminer, trois faits divers: la gastronomie à fleurs, l'histoire d'un poisson rouge, et une méthode originale pour apprendre à nager…

▶ 1 INTEMPÉRIES

1A Inondations en Corse
Présentation

Tout d'abord les intempéries… C'est pendant le premier week-end de novembre 1993, que des inondations ont dévasté la Corse; d'abord la Corse-du-Sud, puis le nord de l'île, la Haute-Corse. Le résultat de ces inondations: des villages isolés, des maisons dévastées, des routes détruites, et un bilan de deux morts et sept disparus.

Journal télévisé 2/11/93 2'12"
Patrick Poivre d'Arvor: Mesdames, Messieurs, Bonsoir. C'est donc un lourd tribut que la Corse aura payé aux inondations qui se sont abattues sur l'île depuis dimanche. Deux morts, sept disparus et un plan Orsec déclenché sur les deux départements, donc, Haute-Corse et Corse-du-Sud. Dans le nord en effet, un homme a été emporté par les flots en crue à Saint Florent, mais c'est apparemment la ville de Ste Lucie de Porto-Vecchio qui a été le plus touché… vous le voyez sur ces images tournées peu après le début du déluge… une vingtaine de villages sont complètement isolés dans un triangle formé par les communes de Ste Lucie, Conca et Carbini. C'est une région qu'on appelle l'Alta Rocca et c'est là que nous rejoignons nos envoyés spéciaux, Antoine Guélaud et Jean-Claude Laidin:
Antoine Guélaud: Les 1500 habitants de Ste Lucie ont découvert ce matin sous le soleil ce qu'ils pressentaient depuis la veille: leur village est défiguré. Voilà tout ce qui reste du pont, qui pendant quarante-huit heures a isolé du reste du monde Ste Lucie, devenue une île dans l'île. Depuis quelques heures seulement on ose à nouveau traverser le Cavo, cette paisible rivière qui s'est métamorphosée en quelques minutes en fleuve tumultueux. A l'évocation de la catastrophe, les mines se figent. Rajouter des paroles, c'est bien dérisoire, répètent les sinistrés. Dérisoire en effet quand on voit cette jeune fille errer dans les restes de sa maison, rasée par le torrent. Certains sont venus récupérer ce qui pouvait encore être sauvé: d'autres ont voulu simplement revoir, et revivre du même coup les scènes de leur drame, comme cette famille

bloquée pendant quatre heures sous les eaux. Le maire de Ste Lucie en vacances pendant les événements est arrivé dans l'après-midi: son village, et au delà, toute la Corse, ont les yeux rivés sur le Continent:
S. Marc Rocca-Serra, Maire de Ste Lucie et Porto-Vecchio: Je le dis, aidez-nous, véritablement aidez-nous! Faites en sorte que l'on reprenne courage, et que l'on puisse mener à bien la tâche que nous ont confiée nos concitoyens et puis pensons à ceux qui ont tout perdu, leur maison, leurs papiers, des vies... une vie... j'ai un employé municipal qui a tout perdu, il a 40 ans avec ses trois gosses, une vie entière de labeur partie... et partie en deux heures de temps. C'est dingue!

1B Chutes de neige inattendues
Présentation

Il arrive quelquefois, surtout en hiver, que l'actualité soit dominée par la météo. C'était le cas au début de l'année 1994, des intempéries sévissaient sur toute la France. Un peu partout au niveau des rivières montait, et dans la région de Lyon, c'est la neige qui a posé le plus de difficultés, provoquant d'importantes perturbations sur les routes et les voies ferroviaires.

Journal télévisé 7/1/94 2'05"
Claire Chazal: Tout de suite un nouveau point sur les intempéries qui sévissent sur pratiquement toute la France. A l'est, comme à l'ouest, la pluie fait monter dangereusement le niveau des rivières et d'importantes chutes de neige gênent la circulation dans la région de Lyon. En Rhône-Alpes et en Auvergne on note d'importantes perturbations aussi bien sur les routes que sur les voies ferroviaires. Le plan Palomar, destiné à éviter les engorgements de la circulation, a tout de même pu être levé dans la vallée du Rhône, même si le dispositif d'alerte a été maintenu. Jean-Marie Deleau:
Jean-Marie Deleau: Comme beaucoup de villes de la région, Lyon s'est réveillée ce matin les pieds dans la neige. Des chutes inattendues qui ont semé une belle pagaille – la circulation a été très perturbée sur les grands axes: cause principale – la chute de câbles à haute tension sur les autoroutes A7 entre Lyon et Vienne et dans l'après-midi vers St Étienne. Ils ont cédé sous le poids de la neige. Les automobilistes non équipés ont beaucoup souffert. Le traffic ferroviaire lui aussi a été interrompu. Dans la Loire, 80 000 personnes ont été privées d'électricité: parmi elles, les habitants de St Just-St Rambert. La vie économique du village a été perturbée.
Témoin 1: Mon mari travaille dans une entreprise, c'est fermé, mon beau-père aussi, pareil, c'est tout, tout fermé.
Jean-Marie Deleau: Provocante, seule la vitrine du pâtissier du village s'illumine. Prévoyant, il a commandé un groupe électrogène.
Témoin 2 (Pâtissier): Je vais travailler normalement… j'ai le nombre de kilos, pour, pour faire tourner toutes mes machines.
Jean-Marie Deleau: Le fleuriste, lui, est moins souriant. Il s'inquiète pour ses plantes, car il ne peut pas chauffer les serres. Sans électricité, les habitants s'organisent…
Témoin 3: Chez moi, j'ai ni chauffage, ni électricité, ni cuisinière… j'ai pas de frigo, pas de congélateur, il y a rien du tout. J'ai été obligée de venir faire mon dîner ici chez la voisine.
Jean-Marie Deleau: A l'origine des coupures, le poste à haute tension du village, qui à la suite d'un court circuit s'est enflammé. Toute la journée les techniciens de l'EDF se sont affairés, ont rétabli le courant dans la majorité des foyers autour de St Étienne. St Just-St Rambert et quelques communes attendront un peu plus. Pour remettre tout en place ici, on attend du matériel de Montpellier, mais comme toute la vallée du Rhône est encombrée, beaucoup d'usagers vont encore passer la nuit sans électricité.

▶ 2 TOURISME

2A La nouvelle campagne des stations de ski
Présentation
Comment attirer plus de touristes à la montagne? C'est la question que se posent tous les ans les responsables des stations de sports d'hiver… surtout après les saisons catastrophiques de 1989 et 1990, où la neige n'était pas au rendez-vous. En novembre 1992 cependant, les choses allaient mieux, déjà la neige tombait sur les Alpes et les professionnels de la montagne étaient optimistes grâce à leur nouvelle campagne.

Journal télévisé   13/11/92   1'34"
Claire Chazal: Bientôt les sports d'hiver, déjà la neige est tombée en abondance, sur les Alpes. En Haute-Provence plusieurs cols ont dû être fermés aujourd'hui. Voilà qui augure bien la saison, les responsables des stations semblent d'ailleurs plutôt optimistes. C'est une enquête de Cécile Thimoreau.
Cécile Thimoreau: Noël plus haut, Noël plus beau – voilà le slogan trouvé par les professionnels de la montagne pour attirer les Français vers les cîmes enneigées. L'opération de charme commence par séduire le porte-monnaie. Du 19 au 26 décembre, le benjamin d'une famille de quatre personnes sera l'invité de la station. Jean-Guy Cupillard, Président de Ski France: S'il y a quatre personnes qui vont dans un hôtel, la quatrième personne sera l'invitée. Si elles vont louer, ces personnes, si les clients vont louer une…, des paires de skis, la quatrième paire de skis sera offerte, si les cours de ski… les écoles de ski français bien sûr… offrent la quatrième personne, la quatrième leçon, et puis les remontées mécaniques offrent le quatrième forfait à la même famille.
Cécile Thimoreau: Toutes les stations de sports d'hiver participent à cette opération lancée après une enquête approfondie sur les mœurs des vacanciers. On y découvre que 70% des touristes ne viennent pas à la montagne pour l'amour du ski mais plutôt pour la détente et les activités annexes. Il s'agit donc de concentrer cette clientèle aux périodes les plus creuses et pourquoi pas, d'attirer de nouvelles familles à la montagne. Les stations de sports d'hiver cherchent ainsi un nouveau souffle pour combattre leur endettement et les réservations pour février, mars sont déjà prometteuses. Grâce au ciel, la neige tombe en ce moment – dès 700m en Franche-Comté et dans les Alpes et aux alentours des 2500m dans les Pyrénées.

2B La Corse, désertée par les vacanciers
Présentation
Tous les ans au mois de juillet la télévision française consacre des reportages aux grands départs en vacances. En 1993, il paraît que les Français étaient moins nombreux à partir… les plages en juillet étaient donc relativement désertes. Une situation, qui a particulièrement touché la Corse.

Journal télévisé   2'00   11/7/93
Claire Chazal: Les grands départs en vacances se sont déroulés mieux que prévu. Bison Futé craignait d'énormes bouchons. En fait la circulation est restée assez fluide. En général, il semble que les vacanciers soient partis moins nombreux que l'an dernier. La saison touristique ne s'annonce en tout cas pas exceptionnelle – c'est le cas notamment en Corse où se sont rendus Gilles Bouleau et Michel Nougaret:
Gilles Bouleau: Mais où sont donc passés les touristes? Pourquoi refusent-ils obstinément de venir bronzer sur les plages corses: énigme politico-économique dans un décor de carte postale désespérément vide.
Jean Baggioni (Président Exécutif Régional – Corse): La première des choses, c'est qu'il y a beaucoup d'erreurs qui ont été commises par le passé et le tourisme a été une industrie dont on n'a pas maîtrisé à la fois son utilité et sa finalité: est-ce que le tourisme… est-ce un tourisme de masse, est-ce un tourisme de qualité?

Gilles Bouleau: Parce qu'elle n'a pas établi de stratégie touristique, parce qu'elle n'a pas investi, parce qu'elle voudrait attirer les touristes comme les Baléares en pratiquant des tarifs comme à St Tropez, la Corse n'attire qu'un million et demi de touristes par an sous un ciel d'azur mais dans un climat rarement serein.
Agathe Albertini (Hôtelière à Bastia): Il y a le problème des transports, il y a les problèmes des grèves, il y a le problème de la violence, tout ça… ont fait que petit à petit, eh bien nous avons aujourd'hui une situation difficile à gérer.
Gilles Bouleau: Difficile de rentabiliser un hôtel, un restaurant, un camping lorsqu'on ne fait le plein que vingt jours par an… La tentation est alors grande de faire payer au prix fort ces prestations éphémères.
Jean-Baptiste Raffali (Maire adjoint – Bastia): En juillet-août on remplit l'escarcelle, et puis après, bon, on attend que ça se passe jusqu'à la saison d'après, et je crois qu'au contraire on devrait jouer sur un tourisme moins cher et plus étalé, c'est vrai que «le coup de bambou» en juillet-août, bon, ça ne veut rien dire; ce n'est pas du tourisme.
Gilles Bouleau: Victime de sa réputation, la Corse voit s'éloigner les touristes, ils sont 20% de moins cette année. Malgré les mille kilomètres de plages épargnées par le béton, malgré les villages qui ne sont pas en préfabriqué, l'industrie touristique, première activité économique de l'île est entrée en somnolence.

▶ 3 LOISIRS ET CULTURE

3A Le karaoké
Présentation
Les loisirs des Français tendent ces dernières années à se diversifier, et on voit apparaître de nouvelles activités, souvent importées d'autres cultures. Dans les discothèques et les restaurants français,par exemple, une nouvelle mode est en train de conquérir les jeunes. Une mode qui vient du Japon, il s'agit du karaoké.

Journal télévisé   8/1/93   2'03"
Claire Chazal: Une mode qui nous vient du Japon déferle donc sur la France – le karaoké. Il s'agit d'un appareil à chanter en play-back qui anime les restaurants et les discothèques. Alors il suffit d'un micro et d'un écran sur lequel défilent les paroles de la chanson. C'est un reportage de Laurent Dresner.
Laurent Dresner: D'habitude, Corinne, Hervé et leur copains chantent dans leur salle de bains. Ce soir, ils vont chanter sur scène devant des dizaines de personnes. Le karaoké, c'est ça…
Le système vient du Japon, où 80% des bars et restaurants sont équipés. Sur un catalogue, on choisit sa chanson et si on est bon, on entraîne toute la salle. Il suffit de se lancer et de lire les paroles sur l'écran, qu'on chante juste ou faux, ça n'a pas d'importance, le karaoké, c'est avant tout une ambiance conviviale. Il y a ceux pas vraiment très sûrs d'eux, et ceux qui font comme à Bercy… Le karaoké s'est implanté grâce à la communauté asiatique, qui a une bien plus grande expérience et ça se voit. En France le karaoké a d'abord conquis les jeunes.
Témoin 1: Pourquoi venir chanter? J'sais pas, c'est un défoulement, c'est un amusement, c'est une bonne occasion, quoi… chanter tout seul, je sais pas, mais en groupe, c'est marrant quoi.
Témoin 2: On se prend un p'tit peu pour la star de la soirée… pour le groupe. On essaie d'être les meilleurs par rapport aux autres tables, voilà.
Témoin 3: Ben, j'sors ma vieille mère, ça lui fait… ça lui fait prendre l'air, ben, c'est bien, c'est bien…
Laurent Dresner: Le karaoké a un tel succès qu'on peut désormais s'entraîner dans son salon avec des cassettes spéciales karaoké – plus besoin d'être sous sa douche pour chanter à tue-tête.

3B Le Solido: un cinéma 3D au Futuroscope
Présentation

Les parcs d'attraction, une nouvelle forme de loisirs pour toute la
famille. Vous avez certainement entendu parler d'Eurodisney, mais
connaissez-vous le Futuroscope de Poitiers, le parc européen de
l'image, où l'on peut découvrir des jeux-vidéo interactifs, des
cinémas à écran géant et encore bien d'autres innovations
technologiques? En juillet 1993, la grande nouveauté de ce parc
c'était le Solido. Un cinéma très particulier, comme vous allez le
constater.

Journal télévisé 25/7/93 2'00"

Jean-Claude Narcy: Le Futuroscope de Poitiers fête aujourd'hui
son premier million de visiteurs depuis le début de la saison 1993.
Un succès énorme pour son dynamique créateur, René Monory,
qui est aussi, vous le savez, le président du Sénat. Chaque année
le Futuroscope propose un nouveau pavillon: cette fois c'est Solido
– du cinéma en trois-dimensions, un procédé révolutionnaire
qu'ont expérimenté pour nous Michel Scott et Francisque Sevaux:

Michel Scott: Le Futuroscope de Poitiers, le parc européen de
l'image, surprend chaque année par la présentation d'une
innovation technologique. Cette fois-ci, la nouveauté la voici: le
Solido ou le temple de la troisième dimension. Rien de commun
avec les procédés déjà connus – le public se bouscule et en
redemande.

Témoin 1: Techniquement c'est vraiment très bien fait.

Témoin 2: C'est génial!

Michel Scott: Premier contact avec la salle – l'écran géant atteint
huit cents mètres carrés et englobe tout le champ de vision. Chacun
met ses lunettes et c'est parti pour vingt minutes de rêve... le
spectateur plonge alors dans un monde microscopique où la
moindre molécule prend des dimensions gigantesques. L'image n'a
plus de cadre, les objets sont à portée de main. Le Solido est unique
au monde. le principe – deux films sont projetés en stéréo sur
l'écran hémisphérique, une image qui pour être reconstituée
nécessite le port de ces lunettes électroniques.

Daniel Bulliard (Directeur du Futuroscope): La clé de la troisième
dimension, la voici. Vous le voyez, c'est une paire de lunettes très
spéciales à crystaux liquides. Elles sont pilotées par infrarouge, le
signal arrive à ce récepteur et ces lunettes vont alors fonctionner
comme des persiennes électroniques et chaque œil va percevoir
alternativement une image et le cerveau va reconstituer une image
en relief, saisissante!

Michel Scott: Les enfants adorent, les parents aussi et au terme d'un
voyage merveilleux à travers le corps et l'espace, les images restent
en souvenir.

Témoin 3: (Petit garçon): On croirait qu'on est à un mètre pour les
attraper, on est... on croirait qu'on est dedans...

Témoin 4: (Petit garçon): On est tout près quoi.

Témoin 3: (Petit garçon): On croirait que ce serait la réalité.

Témoin 5: (Petit garçon): C'est beau la technologie!

3C Le rap au Festival de la Danse de Montpellier
Présentation

Dans les banlieues françaises, une mode fait rage actuellement
chez les jeunes. C'est le rap, une musique parlée et dansée, qui
commence à voir son public s'élargir. Dans le reportage qui suit,
vous allez découvrir un groupe de jeunes danseurs-rappeurs, invités
à participer au Festival de la Danse de Montpellier.

Journal télévisé 4/7/93 1'50"

Claire Chazal: L'expression artistique, danse ou musique, est
souvent une bonne façon d'intégrer les jeunes en difficulté. A
Montpellier, le Festival de Danse s'est mis de la partie, le rap a été
choisi par ces jeunes danseurs devenus très professionnels après
trois ans de répétitions. Ils se produisent ce soir. François Bachy,
Lionel Audibert:

François Bachy: La Paillade dans la banlieue de Montpellier – le rap
vient d'ici comme de toutes les banlieues, mais s'ils s'amusent, le
groupe MCR – MegaCoolRap – répète aussi un spectacle qu'il
donnera ce soir dans le cadre du Festival de la Danse. A l'origine de
ces pas rythmés, la lente déambulation dans les quartiers. Ce terrain
vague c'était leur cité, détruite pour insalubrité il y a deux ans.

Témoin 1: (Hafid): Cet endroit me plaisait assez parce que c'était...
c'était en haut, il y avait, il y avait de la verdure partout, on était pas
enfermé comme maintenant dans des genres d'HLM.

François Bachy: Solidement uni, le groupe MCR n'arrête pas depuis
trois ans de courir après un emploi du temps surchargé. En plus du
lycée ou du travail, six heures de danse par semaine, et un premier
bilan:

Témoin 2: On a plus de sérieux, aussi ce qu'on a appris, c'est de se
donner un but dans la vie, de s'imposer quelque chose.

François Bachy: Entre deux scènes de répétition hier après-midi, une
exhibition sur la place centrale de Monpellier.

Jean-Paul Montanari, (Directeur du Festival de la Danse): Ça fait
trois ans déjà qu'on travaille avec les MCR, pour les amener jusqu'à
un état de préprofessionalisme, ils se décideront eux-mêmes en tant
qu'adultes après pour ce qu'ils voudront faire.

François Bachy: Avant-goût du spectacle de ce soir avec le
chorégraphe américain Doug Elkins, qui pour l'occasion a intégré le
groupe MCR à sa compagnie.

▶ 4 ÉVOLUTIONS SOCIALES

4A Le rapport *Données Sociales 1993*
Présentation

La France des années 90 est une société en évolution. Tous les trois
ans, l'INSEE – l'Institut National de la Statistique et des Études
Économiques – publie un rapport. Il s'appelle *Données Sociales*, et
permet de mesurer les changements intervenus dans la société
française. Ainsi, autrefois, la France était un pays d'agriculteurs;
aujourd'hui, elle connaît le niveau de vie moyen le plus élevé
d'Europe, mais en même temps le chômage continue de progresser.
Le rapport *Données Sociales* de 1993 nous livre un portrait de la
France bien intéressant, comme le dit Patrick Poivre d'Arvor.

Journal télévisé 19/4/93 1'54"

Patrick Poivre d'Arvor: C'est un portrait de la France bien
intéressant que nous a livré aujourd'hui le rapport de l'INSEE
Données Sociales. Les amateurs de statistiques y trouveront leur
compte, les sociologues aussi. Il est difficile de revenir sur chaque
chiffre mais sur le plan économique, Florence Dominy a essayé de
relever deux ou trois grandes données:

Florence Dominy: Autrefois c'était il y a seulement quarante ans.
On écrivait à la plume, on se chauffait au bois, la France était encore
un pays d'agriculteurs. Madame travaillait peu, c'était dans l'ordre
des choses. La tendance était déjà inversée, cette mutation n'a cessé
de s'accélérer dans les années 80, une décennie où tout progresse –
les qualifications professionnelles, le travail des femmes, la
compétitivité, mais aussi le chômage. Les principales catégories
touchées sont les jeunes, les femmes, les ouvriers – du coup les
inégalités sociales se sont accentuées. Des poches de pauvreté
cotoyent le niveau de vie moyen le plus élevé d'Europe: à titre
d'exemple 61% des Français sont propriétaires de leur logement
principal. Il est vrai que les années 80 c'est aussi l'heure de gloire du
crédit. Les changements touchent aussi les habitudes alimentaires.
Deux fois moins de pain, trois fois moins de pommes de terre, et de
vin, à table. Enfin, en dix ans, la population a pris un coup de vieux.
Avec la dénatalité, une longévité hors pair: une personne sur cinq
appartient au troisième ou au quatrième âge. De quoi alimenter les
débats déjà houleux sur la santé et les retraites.

4B La transformation de l'agriculture française
Présentation
Autrefois, la France était un pays d'agriculteurs. Mais ces dernières années, le visage de la campagne française a bien changé. En août 1993, l'INSEE – l'Institut National de la Statistique, a révélé que la majorité des agriculteurs français ne vivaient plus en pleine campagne. Ils habitent plutôt en ville ou dans des villages à la périphérie des villes.

Journal télévisé 4/8/93 2'00
Dominique Bromberger: Aujourd'hui en France un agriculteur sur quatre vit à la ville. C'est le résultat d'une enquête publiée par l'INSEE ce matin, qui révèle en outre que 25% seulement des paysans résident à la ferme en pleine campagne, l'autre moitié habitant les villages. Dominique Hennequin a rencontré ces paysans citadins.

Dominique Hennequin: Non, Didier Renard [sic, *c'est en fait James Robert*] ne va pas au bureau. Chaque matin il quitte sa résidence dans un quartier du nord de Tours pour se rendre dans ses champs. Il y a quelques années, l'agriculteur se marie avec une citadine. Entre les cent quarante hectares de la ferme familiale et le travail en usine de son épouse, il faut faire des concessions. Didier ira habiter en ville tout en gardant l'exploitation.

James Robert (Exploitant agricole): Disons, j'ai adapté mes productions à cette petite difficulté en ne cultivant que des productions végétales, blé, orge, colza, et cetera, pour ne pas avoir à… pour avoir à minimiser les… la surveillance au niveau de l'exploitation.

Dominique Hennequin: Les champs vous manqueraient si vous étiez tout le temps en ville?

James Robert: Ah tout à fait oui. Il me faut un certain équilibre… pour moi.

Dominique Hennequin: Lorsque l'agriculteur ne vient pas à la ville, c'est parfois la ville qui gagne sur la campagne.

Didier Renard: (Maraîcher): Il y a au départ… il y a une trentaine d'années, il n'y avait rien du tout, juste des champs de céréales, des champs de fraises, et deux, trois maisons. Depuis ce temps là, tout a…, tout a changé.

Dominique Hennequin: Selon le rapport de l'INSEE, comme Didier Renard, de plus en plus d'exploitants agricoles vivent à la périphérie des villes – une situation qui n'est pas pour déplaire à l'épouse du maraîcher. Comme 18% des femmes d'agriculteurs, Mme Renard travaille en ville. Par ces temps difficiles, son salaire d'employée de banque est d'ailleurs le bienvenu pour l'équilibre du ménage.

Sophie Renard: Nous n'étions pas mariés quand j'ai commencé à travailler et puis je voulais garder mon indépendance au niveau de mon travail, je ne voulais pas aller travailler avec mon mari et euh je préférais donc avoir mon salaire, être sûre qu'à chaque fin de mois, j'ai mon salaire.

Dominique Hennequin: Des épouses indépendantes, des agriculteurs citadins, en trente ans, le visage de la campagne française a bien changé.

4C La dernière mine de fer
Présentation
En France comme dans d'autres pays la sidérurgie et les industries associées sont en déclin depuis les années 70. C'est la Lorraine au nord-est de la France, qui est la région la plus touchée. A Moyeuvre par exemple, on exploitait le minerai de fer. Mais face à la concurrence des minerais étrangers, la dernière mine a dû fermer. C'était en juillet 1993… La fin d'une époque.

Journal télévisé 30/7/93 2'12"
Dominique Bromberger: C'est la fin d'une époque, la dernière des mines de fer de Lorraine exploitée par la France ferme aujourd'hui. Les mineurs ont manifesté ce matin. La production n'avait cessé de diminuer depuis 1960. Denis Sébastien a vécu à Moyeuvre près de Metz cette dernière journée des gueules jaunes:

Denis Sébastien: Voilà la fameuse minette lorraine. C'est elle qui a fait vivre la région pendant des années. Ce matin, les dernières gueules jaunes l'ont déversée symboliquement devant le haut fourneau où elle était exploitée. Et voici des images qui appartiennent désormais au passé. Au fond de la mine de Moyeuvre des mineurs au travail. Ici même on a commencé à exploiter le minerai de fer au seizième siècle. Il y a trente ans encore on comptait plus de 20 000 mineurs en activité. Le déclin a commencé en 1963 avec la fermeture de la mine de Trieux: il s'achève aujourd'hui à Moyeuvre.

Jean Markun (CGT Lormines): Il y a une population minière, il y a une population sidérurgique, et les industries qui sont basées sur le fer, sur la fonte et l'acier, pour le moment la page n'est pas tournée.

Denis Sébastien: Pas tournée? En tout cas la stratégie a changé. La minette lorraine est jugée peu rentable. On lui préfère des minerais d'importation. Ils viennent du Brésil, de Mauritanie ou d'ailleurs, et ils ont cette qualité d'être plus riches en fer, plus faciles à exploiter. Ce sont ces minerais qui alimentent dorénavant la sidérurgie lorraine. Toute une région, toute une culture souffre de se voir remise en question.

Témoin 1: Ça me fait mal, quand je vois tous ces gens là, ça me fait froid, vous savez, j'ai mal au cœur, vraiment, mal au cœur.

Témoin 2: La mine, c'était une famille, quand c'était des fêtes, c'était toute une famille, la Sainte Barthe, ça se fêtait dans le temps, aujourd'hui tout est mort.

Denis Sébastien: Trois cent cinquante mineurs travaillaient jusqu'aujourd'hui à Moyeuvre. Les plus âgés partiront en retraite. Les autres doivent se reconvertir.

Témoin 3: Un chômeur de plus… c'est tout.

Denis Sébastien: On vous a fait des propositions?

Témoin 3: Euh oui… oui. Il faut que j'aille à Dunkerque là-bas. Ils m'ont forcé pratiquement à acheter la maison ici, et il faut vivre là-bas, pas question, pour un salaire de misère, en plus… et voilà… c'est fini, c'est fini hein.

Denis Sébastien: En partant les mineurs ont abandonné leurs machines dans les rues de Hayange. Ils le savent, elles ne serviront plus, en tout cas, plus dans une mine.

4D Une nouvelle formation pour les femmes
Présentation
L'automobile, un secteur en difficulté à la fin de l'année 1993, avec une production en chute libre et une stagnation des ventes. TF1 a choisi ce moment pour s'intéresser à une nouvelle formation proposée aux femmes, la vente automobile. Un domaine, où elles se révèlent bien plus performantes que les hommes.

Journal télévisé 4/12/93 1'54"
Claire Chazal: Parmi les secteurs les plus touchés par la crise, l'automobile. La production a encore chuté en octobre de près de 32% par rapport au même mois de l'année dernière. Autant dire que pour les constructeurs la force de persuasion des vendeurs est déterminante. Ils s'aperçoivent bien souvent que les femmes sont plus performantes dans ce domaine que les hommes. Ainsi Citroën a su créer le premier institut féminin de la vente automobile. Ça se passe à Fougères en Bretagne où se sont rendus Liliane Purdom et Gérard Derai.

Danièle Collet (démonstration): Si vous prenez un virage un peu plus dur, vous sentez que la voiture ne peut pas chasser par son train-arrière auto-directionnel.

Liliane Purdom: Machos s'abstenir! Les femmes sont en train de prendre pied dans le secteur de la vente automobile jusqu'ici réservé aux hommes, mais pire encore pour ces derniers, elles réalisent des prouesses. Témoin – cette jeune femme de 32 ans. Danièle travaille depuis un an chez un concessionnaire Citroën de Rennes – avec succès.

Danièle Collet: Je me suis dit pourquoi pas, pourquoi pas moi? Bon j'en avais déjà entendu parler, je savais que de plus en plus il y avait des femmes à travailler dans le milieu automobile, je me suis dit pourquoi pas moi, et c'est vrai que ça me plaisait, c'est un challenge un petit peu pour moi, et j'avais envie de réussir donc, bon, je me suis lancée.

Liliane Purdom: Les chiffres sont formels. Un homme vend en moyenne quinze voitures par mois, une femme vingt-cinq. Fort de ce constat, Citroën a créé il y a cinq ans, le premier Institut Féminin de la Vente Automobile à Fougères avec la Chambre de Commerce et d'Industrie. Chaque année, quinze femmes triées sur le volet suivent un stage intensif de six mois, pratique et théorique. Elles ont entre 25 et 40 ans et viennent de toute la France. Josette, par exemple, a 39 ans. Cette mère de quatre enfants a décidé de se reconvertir dans le commerce automobile.

Josette Pascual: Les femmes ont toujours été plus ou moins dévalorisées par rapport aux hommes, bon, ben, si maintenant on peut faire voir qu'on est aussi bien qu'un homme, pourquoi pas… peut-être même meilleure?

▶ 5 ENVIRONNEMENT

5A Une victoire contre les pylônes!
Présentation

La protection de l'environnement est un thème qui revient très souvent dans l'actualité française. Un exemple, la vallée du Louron, dans les Pyrénées. Depuis 1984, les habitants de cette région s'opposent à EDF – Électricité de France – qui veut y construire une ligne à haute tension. En octobre 1991, le préfet des Hautes-Pyrénées avait donné le feu vert au projet, mais un mois plus tard, les écologistes réussissaient à obtenir un sursis à exécution. Patrick Poivre d'Arvor annonçait leur victoire au journal du 6 novembre 1991…

Journal télévisé   6/11/91   1'37"

Patrick Poivre d'Arvor: Je vous le disais en titre, les écologistes pyrénéens peuvent chanter victoire aujourd'hui. La ligne à haute tension du Val Louron qui devait traverser les Pyrénées ne sera pas construite dans l'immédiat. Le tribunal administratif de Pau a en effet décidé un sursis à exécution.

Sylvain Dhollande: Ces pylônes de 60m et ces lignes de 400 000 voltes, les pyrénéens n'en veulent pas dans leur vallée. D'autant que dans la vallée du Louron, on a parié sur l'attrait touristique de paysages jusqu'alors préservés.

Témoin 1: La ligne débouche ici, ensuite elle se développe sur les derniers kilomètres de la partie supérieure jusqu'à ce point de fond de vallée ici…

Sylvain Dhollande: Or le tourisme c'est quasiment la seule ressource pour les mille habitants des quinze communes de ce canton et cette ligne de 225km de long, dont 50 côté français, destinée à acheminer le courant de la centrale nucléaire de Golfech vers l'Espagne serait une véritable balafre dans la montagne. Associations et communes se sont mobilisées des deux côtés de la frontière contre ce projet.

Témoin 2: (Enfant): Ça va défigurer la nature.

Témoin 3: (Femme): On est tous contre.

Sylvain Dhollande: Mais il y a un mois le préfet des Hautes-Pyrénées donnait le feu vert aux travaux. Les opposants ont alors demandé au tribunal administratif de Pau un sursis à exécution – sursis accordé aujourd'hui. EDF devra revoir sa copie.

Témoin 4 (Michel Geoffre, écologiste, président de l'UMINATE): Ça fait quand même sept ans je rappelle que ce combat a été engagé, et donc… euh… oui, c'est une victoire de l'écologie.

Sylvain Dhollande: Il faut dire que les pyrénéens ont reçu in extremis le soutien du ministre de l'Environnement, Brice Lalonde et du ministre du Tourisme, Jean-Michel Baylet. Les opposants avaient proposé d'enterrer la ligne – trop cher et trop compliqué avait répondu EDF – mais aujourd'hui, les habitants de la vallée espèrent que c'est le projet lui-même qui sera enterré.

5B Le stockage des déchets radioactifs
Présentation

Depuis 1983, la France cherche une solution au problème du stockage de ses déchets radioactifs. Le choix des sites n'est pas toujours facile. En janvier 1994, le gouvernement en a proposé quatre, pour l'implantation éventuelle de laboratoires de recherche. Mais qu'en pensent les populations concernées? Dans le petit village de Chatain, le maire a décidé de consulter directement les habitants, avec un résultat plutôt surprenant…

Journal télévisé   9/1/94   2'12"

Claire Chazal: Environnement et cette fois en France avec le problème du stockage des déchets radioactifs. Le choix des sites n'est pas toujours facile. Dans le sud de la Vienne à Chatain une consultation a été organisée par le maire avec une surprise: la population a voté pour l'installation d'un laboratoire à proximité de chez eux à 60%. Les communes voisines elles, ne sont pas toutes d'accord. Reportage Dominique Hennequin, Mirsad Hechter:

Dominique Hennequin: A Chatain dans le sud de la Vienne les spécialités locales sont le mouton, le calme et la tranquillité. Mais depuis quelques jours l'annonce d'une implantation éventuelle d'un laboratoire de recherche en vue d'un stockage de déchets radioactifs a réveillé le pays et divisé les habitants. Lasse de la polémique, la commune organisait aujourd'hui une consultation. Dans le secret de l'isoloir, chacun pouvait exprimer son opinion.

Témoin 1: Si ça doit être dangereux pour la population et les enfants, je pense qu'il faut que ce soit non, mais si ça doit donner du travail… euh… dans un pays qui se meurt, à ce moment là, pourquoi pas?

Dominique Hennequin: Sans autorisation officielle de la préfecture, le résultat du vote n'aura aucune valeur légale, mais pour le maire qui a financé personnellement les bulletins et les enveloppes, cette consultation ramènera peut-être le calme dans le village et lui permettra enfin à nouveau de dormir tranquille.

Michel Faudry (Maire de Chatain, Vienne): C'est suite aux coups de fil anonymes… euh…, des menaces… euh…, des insultes, alors j'ai…, je pouvais plus tenir… en fait, hein, j'ai réuni mon conseil de façon extraordinaire… mon conseil municipal extraordinaire pour leur proposer donc ce référendum pour essayer de calmer les esprits.

Dominique Hennequin: De nombreux habitants des communes de la Vienne et de la Charente toute proche manifestent et s'opposent au projet. Hier, beaucoup ont brûlé leurs cartes d'électeurs pour protester contre la candidature volontaire du conseil général.

Témoin 2: On peut pas gérer le monde en surface aujourd'hui, on voudrait nous faire croire qu'on peut gérer le sous-sol avec le nucléaire pour des millénaires, on se fout de la gueule de qui?

Dominique Hennequin: Malgré l'opposition grandissante, Chatain a choisi son camp. A plus de 60%, le village s'est prononcé pour le laboratoire. Dans un an, après étude de terrain et prospection, l'État exaucera peut-être le souhait des habitants.

▶ 6 MANIFESTATIONS

6A Manifestation à Roissy
Présentation

Si vous habitez près d'un aéroport, vous devez subir des nuisances aériennes. C'est le cas des habitants de la vallée de Montmorency, près du grand aéroport de Roissy. Quand les travaux d'agrandissement de cet aéroport ont commencé, les riverains ont décidé de protester, en organisant une opération-escargot sur les routes d'accès.

Journal télévisé   15/11/92   2'24"

Claire Chazal: Une opération-escargot a perturbé toute la matinée l'accès à l'aéroport de Roissy. Les élus de la région et les riverains avaient appelé à manifester contre les nuisances aériennes. Un millier d'habitants de la vallée de Montmorency ont ainsi mobilisé trois cents voitures et paralysé la circulation. Ils protestent aussi contre les projets d'extension des pistes d'envol. L'enquête de Jean-Pierre Quittard et de Nicolas Ruelle:

Jean-Pierre Quittard: Ce fut un modèle du genre escargot. Les manifestants circulaient à la même vitesse que le gastéropode, paralysant ainsi tous les accès de Roissy. A l'origine de cette nouvelle colère des riverains il y a les projets d'extension de l'aéroport qui devrait accueillir dans dix ans quatre fois plus de passagers et donc quatre fois plus d'avions qu'aujourd'hui. A l'approche de l'aérogare, les cortèges se forment et les pancartes sorties des coffres sont explicites. Loin derrière c'est la pagaille et certains voyageurs pris au piège frôlent la crise de nerfs:

Voyageur 1: Où est-ce que c'est Roissy? C'est là-bas?

Voyageur 2: Comment je fais alors, je retourne en marche arrière ou je retourne comme ça?

Jean-Pierre Quittard: Cette question Monsieur restera sans réponse dans ce dimanche pagaille, où l'on verra même dans une apparente fraternisation les riverains de l'aéroport, élus locaux en tête, marcher du même pas fatigué que des passagers résignés mais pas fâchés.

Voyageur 3: Ça va aller… il me reste une heure et demie, mais je suis parti plus tôt que d'habitude.

Voyageur 4: Je suis très fatigué!

Jean-Pierre Quittard: Une cinquantaine de personnes auraient dit-on manqué aujourd'hui leur rendez-vous avec l'avion, mais à l'heure du déjeuner les douze associations donnaient dans le calme l'ordre de dispersion de la manifestion: c'était l'heure du bilan et des mises au point.

Albert Magarian (Maire de Montmorency): Ce qui nous inquiète le plus c'est le non-respect à la fois des trajectoires et des altitudes des avions au dessus de la vallée de Montmorency.

Jean-Pierre Quittard: Demain matin à la première heure les travaux reprendront à Roissy comme si rien ou presque ne s'était passé ce matin et les avions, un toutes les minutes survoleront la vallée de Montmorency et les 350 000 personnes qui l'ont choisie pour y vivre.

6B Manifestation de cyclistes parisiens
Présentation

Malgré les problèmes créés par la circulation automobile à Paris, les pouvoirs publics de la capitale semblent ne rien faire pour encourager le vélo. En juin 1993, les associations pour la défense du vélo ont donc organisé une grande manifestation, à bicyclette, dans les rues de Paris, afin de réclamer davantage de pistes cyclables.

Journal télévisé 5/6/93 2'00"

Claire Chazal: Autre machine roulante, les vélos. Les amoureux de la nature aimeraient bien ne voir dans les rues des villes que des bicyclettes. Un millier de passionnés de la petite reine ont ainsi défilé aujourd'hui à Paris pour réclamer davantage de pistes cyclables. Christine Chapelle et Pierre Adrien en ont suivi quelques uns de la Bastille à la Concorde.

Christine Chapelle: Nous sommes en 1993 après JC. Toute la Gaule est occupée par les voitures. Toute? Non, un petit groupe de cyclistes résiste toujours victorieusement à l'envahisseur motorisé. Non sans mal. Ce ne sont pas ces ridicules 3,7km de pistes cyclables qui vont rendre les rues de Paris respirables. Alors cet après-midi les vélocipédistes passaient à l'offensive et relayaient l'automobile au stade d'auto non-mobile. Un mot d'ordre: la bagnole, ras-le-bol!

Cycliste 1: Les voitures ne nous voient pas du tout et c'est pas du tout sympa de rouler en vélo dans Paris hein… D'autant que les pistes cyclables ont été faites entre les allées des bus et les voitures, donc… on se fait klaxonner dès que le feu est vert… ils ne sont pas du tout indulgents.

Cycliste 2: Nous sommes… euh… comment dire… un peu pour eux des marginaux, disons… on leur prend, comment dire, un bout de territoire.

Cycliste 3: Si on pouvait avoir des pistes cyclables ou en tout cas plus de facilités pour les cyclistes ce serait pas mal… Jacques, tu m'as entendu? Pas de problème? Merci.

Christine Chapelle: L'arrivée du cortège sous les fenêtres du maire de Paris donna lieu à un ravissant ballet.

(musique)

François Tempé (Président du Mouvement de Défense de la Bicyclette): Il faudrait en fait que dans chaque arrondissement il y ait deux axes cyclables; un nord–sud, et un est–ouest de façon qu'on puisse aller d'un bout à l'autre de Paris en sécurité.

Christine Chapelle: L'oppresseur à quatre roues devenu oppressé piaffait d'impatience devant ce défilé qui revendiquait son droit d'usager de la route. Cet après-midi les rues de Paris ont vécu la vélorution.

▶ 7 FAITS DIVERS

7A La gastronomie aux fleurs
Présentation

Les faits divers, ce sont des événements de la vie quotidienne. Ils peuvent être dramatiques, mais aussi amusants ou insolites, et on les garde alors pour la fin du journal. Notre premier fait divers concerne le rôle des fleurs dans la gastronomie française; non pas pour décorer les tables des restaurants élégants, mais pour rendre les plats eux-mêmes un peu plus exotiques.

Journal télévisé 4/7/93 1'42"

Claire Chazal: Les cuisiniers sont toujours à la recherche de nouvelles saveurs et de nouveaux ingrédients. Ils utilisaient déjà les plantes odorantes, ils agrémentent maintenant leurs plats de fleurs – une nouvelle gastronomie que l'on peut découvrir au Festival des Fleurs du Monde qui se tient au Palais des Congrès à Paris jusqu'à lundi et où se sont rendus Élisabeth Courtial et Christian Gaillard.

Élisabeth Courtial: Tous les plats sont cuisinés à partir de recettes florales: salade de haricots verts avec des magrets de canard aux capucines; beignets aux fleurs de courgettes; flan de poisson aux bleuets, meringue à la lavande: cette cuisine riche en goût, pauvre en calories, n'est cependant pas une nouvelle méthode d'amaigrissement.

Marie Kermel (Diététicienne, Hôpital Bichat): Cette nouvelle mode ne fera en rien maigrir qui que ce soit, soyons clairs là-dessus. La cuisine aux fleurs c'est beau, c'est bon euh…, pourquoi s'en passer alors qu'on a toutes ces fleurs à profusion et que certains horticulteurs nous proposent toute une série de fleurs délicieuses qui amènent un tout petit peu d'exotisme dans notre cuisine.

Élisabeth Courtial: Quelques restaurateurs, pour l'instant encore peu nombreux, sont adeptes de cette cuisine, mais attention, toutes les fleurs ne sont pas comestibles. Elles proviennent de cultures biologiques où à l'abri des pesticides. Si elle suscite beaucoup de curiosité, la gastronomie des fleurs ne fait pas encore l'unanimité.

– Monsieur, vous venez de manger une fleur de capucine?

Témoin 1: Oui, c'est la première fois de ma vie, je crois bien… Écoutez, c'est très bon, j'en attaque une deuxième…

Témoin 2: C'est très bon, très fin, c'est pas commun.

Témoin 3: Pas trop, pas trop.

Témoin 4: Moi j'aime pas…

Témoin 5: C'est de la rose, ça… très bizarre.

Élisabeth Courtial: Et comme il n'y a pas de bon repas sans bonne bouteille les fleurs se dégustent aussi en vin.

7B L'histoire d'un poisson rouge
Présentation

Le reportage suivant est consacré à un événement médical des plus extraordinaires. En effet, le patient n'est autre qu'un poisson rouge… Son problème? Il s'était mis à nager à l'envers.

Journal télévisé 27/10/92 1'44"

Dominique Bromberger: Maintenant un événement médical d'un autre genre – cette opération pratiquée par un vétérinaire niçois sur un poisson rouge. Celui-ci s'appelle Carassin, le poisson pas le vétérinaire, il s'était mis à nager à l'envers, le poisson toujours. La suite, c'est Gabriel Natta qui vous la raconte:

Gabriel Natta: Depuis une semaine, le *carassus horatus*, poisson rouge aux larges nageoires blanches de Monsieur Reynaud était malade, il nageait à l'envers, avait perdu le sens de l'équilibre. Après un examen radiologique détaillé chez le vétérinaire, le diagnostique fut immédiat: il fallait opérer.

Vétérinaire: Ce poisson avait une poche d'air qui contrebalançait l'effet de la vessie natatoire, nous avons donc assisté cette poche d'air de telle manière à ce que l'animal reprenne son équilibre normal et puisse nager tout à fait normalement.

Gabriel Natta: Une opération délicate qui relève de la microchirurgie – d'autant plus difficile à réaliser que le poisson ne peut être maintenu plus de quinze secondes hors de l'eau. Après l'intervention, il a fallu rééduquer le carassus, l'aider à retrouver l'équilibre par la pose d'un harnais minuscule lesté de petites billes en innox que le vétérinaire a fabriquées lui-même. Les chats et les chiens de la clinique n'en sont pas revenus. Le propriétaire du poisson non plus.

Henri Reynaud (Propriétaire du poisson): Ah, ben, c'est une impression énorme parce que j'étais loin de penser une chose pareille qu'on pouvait, enfin, radiographier, opérer un poisson. Ça m'a semblé énorme.

Gabriel Natta: Opération renversante pour un poisson qui aujourd'hui nage de nouveau à l'endroit. Mais rien d'exceptionnel pour cette clinique vétérinaire où l'on opère tortues, mygales, hérissons et chauve-souris: seules les puces ne sont pas admises dans les salles de soins.

7C La méthode du saladier

Présentation

Un reportage maintenant qui a été tourné sur la Côte d'Azur. Dans un grand hôtel de luxe de St Jean Cap-Ferrat, un maître-nageur donne des leçons de natation très originales. Originales, car ses élèves commencent par plonger la tête dans un saladier…

Journal télévisé 25/7/93 2'10"

Jean-Claude Narcy: Si vous avez peur de l'eau, si vous ne savez pas nager, si vous voulez apprendre, il suffit de plonger la tête dans un saladier pour mieux maîtriser votre respiration sous l'eau. C'est la méthode originale mise au point par un maître-nageur de St Jean Cap-Ferrat. C'est très sérieux et ça marche. D'ailleurs Gabriel Natta s'est entraîné… depuis il nage comme un poisson dans l'eau:

Gabriel Natta: Depuis quarante-trois ans, Pierre Grunberg, maître-nageur à la piscine de l'hôtel Bel Air à St Jean Cap-Ferrat apprend à nager aux plus grands. Il a côtoyé les Beatles et la Princesse Soraya – il a fait faire ses premières brasses à Elton John et Tina Turner. En fait, il apprend surtout à respirer avec une méthode très simple – celle du saladier.

Pierre Grunberg (Maître-nageur): Par rapport à une autre méthode, c'est que ça enlève tout de suite la peur et que ça familiarise tout de suite tout le monde que ce soit des enfants ou des grandes personnes avec le problème crucial de l'eau qui est le nez, la bouche, les yeux … je passe à peu près une demi-heure, une heure dans un saladier à apprendre aux gens le contact du visage avec l'eau avant de les mettre dans l'eau proprement dit.

Gabriel Natta: Ses élèves progressent rapidement. Ils ont entre 8 et 90 ans. Après quelques leçons l'eau devient pour eux un élément familier dans lequel ils se sentent à l'aise. Fini le stress du plongeon.

Témoin 1 (Vieille dame): J'ai jamais eu peur, mais je peux nager beaucoup plus longtemps.

Témoin 2 (Jeune fille): C'est mieux parce qu'avant je nageais avec des bouées, ça me faisait un peu peur d'aller dans l'eau.

Gabriel Natta: Et maintenant dans l'eau tu vas plus vite?

Témoin 2: Oui, je vais plus rapidement, je nage mieux.

Gabriel Natta: La vie de Pierre Grunberg est pleine d'anecdotes qu'il aime à raconter. Quand il demandait à Edgar Faure si ça ne le gênait pas trop de faire des bulles dans un saladier, le Président répondait qu'il en avait fait bien d'autres à l'Assemblée Nationale. Mais c'est la famille Charlie Chaplin qui a le plus marqué Pierre Grunberg:

Pierre Grunberg:… j'ai donné des leçons à tous ses enfants et un jour il est venu me voir et il m'a dit Pierre on arrête. C'est trop beau le Cap-Ferrat, et ils ont fait trop de progrès en natation, ils veulent que j'achète l'hôtel Bel Air alors arrêtez les leçons, je peux pas m'offrir ça.

Gabriel Natta: Et aujourd'hui Pierre Grunberg donne des conférences dans le monde entier pour expliquer une méthode extrêmement simple à laquelle il suffisait de penser.

Conclusion

Voilà. C'est la fin de ce voyage, à travers la France, ses paysages et ses populations, tels qu'ils paraissent dans le journal de TF1. Le journal, quant à lui, continue. Vous retrouverez ses présentateurs, Patrick Poivre d'Arvor ou Claire Chazal, tous les soirs, à 20h. Mais pour ma part, Mesdames et Messieurs, je vous souhaite une excellente soirée.